D1244397

## Du même auteur

*La Route des émeraudes*, Balland
*Islam, avenir du monde*, J.-C. Lattès
*Les Sept Femmes d'Alfred Sirven*, Le Rocher

ALAIN CHEVALÉRIAS

# LA GUERRE INFERNALE

*Le montage Ben Laden et ses conséquences*

ÉDITIONS DU
ROCHER
Jean-Paul Bertrand

CHAPITRE 1

# Pourquoi et comment ?

On commence tôt sa journée aux États-Unis. Ce matin du 11 septembre 2001, à huit heures et demie, Manhattan grouille déjà de monde. Il fait doux, presque vingt degrés déjà à New York. Le ciel bleu annonce une belle journée. Pour quelques minutes encore, la première puissance mondiale se sent invincible.

Au pied des tours jumelles du World Trade Center, le centre du monde des affaires, les employés se pressent. La fourmilière se remplit au rythme des allers et retours des ascenseurs. On se croise, on se regarde sans se voir. Comment se reconnaître dans un univers de 40 000 personnes où chacun des cent dix étages est un village ?

Au 94e niveau de la tour sud, à la Fiduciary Trust International, comme ailleurs, les employés s'installent pour la journée. En passant, on se sert un café fumant, puis l'on s'étire dans son fauteuil en lançant son ordinateur. Soudain, à 8 h 48, une violente explosion. Le sol tremble plusieurs secondes. Dehors, une épaisse fumée envahit l'espace. Une boule de feu enveloppe le bâtiment.

Quelques instants, le temps reste suspendu. Secrétaires et gérants de portefeuilles sont comme pétrifiés. Une femme brise la chape de silence. Tirant sur les aigus, elle lance un hurlement. Plusieurs de ses collègues féminines l'imitent. Nul ne sait encore qu'un avion vient d'entrer en collision avec la tour voisine. Tous devinent pourtant une catastrophe hors du commun.

Les femmes, encore elles, réagissent les premières. Retrouvant l'instinct primitif, quelques-unes poussent consœurs et confrères vers les escaliers. L'effort physique rassérène les gens, mais la peur est là, au creux de l'estomac. Les plus corpulents peinent dans les étages. Personne ne parle. On n'entend que le frottement des pieds sur les marches.

Au bout de cinq minutes, venue du poste de sécurité, une voix sort des haut-parleurs. Elle ordonne de rester dans la tour et de cesser la descente. La foule s'arrête, hésitante. Épuisée, une grosse dame pousse la première porte venue. Certains s'engouffrent vers les ascenseurs, toujours en état de marche. D'autres poursuivent leur descente.

À neuf heures et six minutes, une secousse ébranle les membrures du bâtiment. Elle semble causée par un tremblement de terre. Tous ignorent encore la réalité des faits. Un second avion vient de percuter le sommet de la tour sud, celle dont tous ces gens cherchent à s'échapper. Puis la fumée se répand dans les cages d'escalier en même temps que la panique gagne.

Au rez-de-chaussée, piétinant dans les débris de verre et dans l'eau des lances d'incendie, des secouristes prennent en main la cohorte hagarde. « Allez tout droit sur Broadway, ordonnent-ils, et surtout ne vous retournez pas...»

Ballet de voitures de pompiers et d'ambulances, hurlements de sirènes, dehors, on se croirait à Beyrouth aux pires moments de la guerre. La partie supérieure des tours jumelles est en feu. Des hommes et des femmes se jettent dans le vide. Sans vie, des corps jonchent le sol. Les hommes en uniforme secouent les rescapés. «Quittez la zone», insistent-ils.

★<br>★ ★

Âgé de 21 ans, Osman Farman a obtenu ses diplômes à l'université de Bentley. Musulman de nationalité pakistanaise, il travaillait au World Trade Center. Il sort du bâtiment en état de choc et se laisse aller sur le sol à quelques centaines de mètres de là.

Il est dix heures et six minutes quand la première tour s'effondre. Un nuage de poussière et de débris envahit la rue, avançant vers Osman comme une vague menaçante. Il reste sans bouger, comme privé de réflexes. Un homme se penche alors au-dessus de lui. Le jeune Pakistanais reconnaît un juif hassidique. L'homme observe le pendentif en or d'Osman et voit le verset coranique gravé en arabe. Avec un fort accent de Brooklyn, quartier israélite de New York, il laisse tomber à l'intention du rescapé :

«Frère, prends ma main et fichons le camp de cet enfer...»

★

★ ★

Quelques instants plus tôt, à Washington, à trois cents kilomètres de là, un autre drame se déroule. À 9 h 43, un Boeing 757 d'American Airlines s'est écrasé contre la façade est du Pentagone, le centre de la Défense américaine.

Avec les deux tours jumelles de New York, le centre économique des États-Unis a été touché. Avec le Pentagone, on s'en prend au symbole de leur puissance militaire. Les terroristes visent au moins un troisième objectif. On ne saura jamais s'il s'agit de la Maison-Blanche, siège de l'exécutif, ou de Camp David, lieu de résidence du Président, connu pour avoir abrité les rencontres entre Israéliens et Palestiniens. Les islamistes le considèrent comme le symbole du déshonneur des musulmans face à l'adversaire juif.

Mais, cette fois, de simples citoyens vont sauver l'honneur de l'Amérique.

★

★ ★

À 8 h 43, le Boeing 757 du vol 93 de la United Airlines décolle de Newark, aéroport international de New York. Il doit se poser à San Francisco. Une heure plus tard, un homme appelle le centre d'opérations d'urgence de Westmoreland. Il affirme s'être enfermé dans les toilettes de l'avion et communiquer avec son portable. Il signale la présence à bord de pirates de l'air. La transmission est interrompue. Puis, sur leurs radars, les contrôleurs aériens voient le Boeing opérer un demi-tour et prendre la direction de Washington. Par les transmissions audio, ils entendent un ordre prononcé avec véhémence venant du cockpit : « Sortez d'ici », suivi d'un bruit de lutte. Puis, le microphone est débranché. Quand il est remis en marche, la tour de contrôle capte un message destiné aux passagers :

« Ici votre commandant, il y a une bombe à bord. Soyez calmes. Nous allons obéir aux demandes. Nous retournons à l'aéroport... »

Ces mots ont été dits avec un fort accent arabe. De toute évidence, il ne s'agit pas de la voix du chef de bord.

Captif du vol 93, Jeremy Glick appelle cette fois sa femme, Lyzbeth, sur son téléphone. Âgé de 31 ans, champion de judo, il donne aux pirates, au nombre de trois dit-il, le type proche-oriental. Il les décrit le front ceint d'un bandeau rouge et exhibant une boîte, rouge elle aussi, censée contenir une bombe. Ils ont regroupé les passagers et l'équipage à l'arrière de l'appareil.

À la télévision, Lyzbeth a vu en direct les attaques contre les tours jumelles. Elle en informe Jeremy qui comprend trop bien les intentions des auteurs du détournement. Avec d'autres passagers, il décide d'agir. Surtout qu'un autre événement se déroule sous ses yeux, même s'il n'en parle pas. Les pirates ont égorgé l'un des voyageurs à l'aide d'un cutter. Sans doute pour faire un exemple.

Jeremy abrège. Il prend congé de sa femme et lui demande de prendre soin de leur petite fille, un bébé de trois mois. Dans le portable, Lyzbeth entend : « Vous êtes prêts, les gars ? » Armés des couteaux des plateaux repas, la petite bande est partie à l'assaut des assaillants.

Des cris éclatent. L'avion tangue, comme si l'on se battait autour des commandes, puis, à 10 h 06, sa trace disparaît des radars. Il vient de s'écraser dans les champs de Somerset, à 128 kilomètres au sud-est de Pittsburgh, dans l'état de Pennsylvanie.

La bravoure d'une poignée d'hommes du vol 93 a empêché les pirates de provoquer une tragédie de plus grande dimension.

★

★ ★

Cette journée du 11 septembre a sonné l'Amérique. Parmi les victimes, on compte près de 4 000 morts dans les tours jumelles, 233 passagers captifs des quatre avions transformés en bombes volantes, 800 militaires ou fonctionnaires du Pentagone et 300 pompiers, secouristes et policiers disparus dans l'effondrement des bâtiments. En tout, plus de 5 000 personnes décédées en une seule journée.

Sans parler des dégâts matériels, ni de la blessure infligée à l'orgueil américain.

Beaucoup de questions se posent. Elles se résument en deux mots, comment et pourquoi? Comment et pourquoi des hommes, dix-neuf nous dit le FBI, acceptent-ils de se donner la mort ensemble, non pour mettre un terme à leur vie, mais par haine de l'autre. Pour expliquer cet engagement extrême dans le trépas, le fanatisme ne suffit pas. Or, tant que nous ne comprenons pas les motifs qui animent ces desperados, nous ne pouvons pas nous protéger de leurs attaques.

CHAPITRE 2

# Tout a commencé en Afghanistan

Fin décembre 1979, les troupes soviétiques pénètrent en Afghanistan. Elles renversent le chef de l'État, Hafizullah Amine, le font exécuter et lui substituent Babrak Karmal. Un communiste s'installe à la place d'un communiste. En fait, Moscou met un serviteur de la Russie à la tête de l'Afghanistan. Le Kremlin a pour cela deux raisons. D'une part, ses hiérarques voudraient prendre le contrôle du golfe arabo-persique, lieu des plus grosses réserves mondiales de pétrole. De l'autre, pour se servir de l'Afghanistan comme d'une marche vers le sud, ils veulent ramener le calme dans ce pays où la population, musulmane, se rebelle contre ses dirigeants marxistes.

Les États-Unis ont deux motifs pour réagir. Premièrement, ils ont peur de perdre leur influence dans une région vitale pour les économies occidentales. Or depuis février déjà, l'Iran s'est donné un régime islamiste anti-américain. Deuxièmement, la CIA aimerait se venger de l'affront subi dans les années 70 en Indochine et du soutien de Moscou au Viêt-cong.

13

Les Soviétiques, pour leur part, ont mal joué. Leur entrée en force en Afghanistan, loin de calmer le mécontentement populaire, l'exacerbe. Babrak Karmal passe pour un traître, aux yeux de ses compatriotes, et la révolte se transforme en résistance contre l'occupant étranger.

Dès 1980, la CIA fait parvenir une aide aux groupes qui prennent le maquis. De l'aveu de ses officiers, cette opération va devenir la plus grosse des services américains depuis celle du Vietnam.

★

★ ★

Au printemps 1982, je fis mon premier voyage en Afghanistan. Parti de Peshawar, au Pakistan, j'entrai dans le pays par les chemins de montagne avec un groupe du Jamiat de Bourhanuddin Rabbani. Le parti auquel appartenait aussi Ahmad Chah Massoud, le chef des maquis de la vallée du Panchir.

Comme la plupart de mes confrères journalistes partis à l'époque en reportage dans ce pays, je suivis une colonne de combattants remontant à dos d'hommes et de mules armes et munitions vers les zones de combat. À travers les montagnes, traversant certaines plaines de nuit pour échapper aux patrouilles aériennes soviétiques, ne mangeant que du pain et du riz cuit dans la graisse, nous marchâmes vingt et un jours.

Nous arrivâmes dans la région de Mazar-e-Charif, au cœur de la province de Balkh, nom de l'antique Bactriane dont, au IVe siècle avant Jésus-Christ, Alexandre le Grand s'empara. En quelques heures, nous pouvions nous rendre sur le fleuve Amou-Daria, l'Oxus de l'Antiquité, devenu frontière avec les républiques musulmanes d'URSS.

Là, entre l'Occident qui croit tout savoir et l'empire des diables rouges, je passais des mois hors du temps. Dans leurs montagnes, les Afghans vivaient encore au Moyen Âge. Voyageant, dans les villages ils dormaient dans les mosquées, comme chez nous autrefois les pèlerins dans les églises. Ils ne connaissaient rien, ou presque, des médicaments, l'usage de l'électricité restait confiné aux villes et, pour s'informer, on ne comptait qu'un transistor par hameau dans les zones les moins pauvres.

Dans sa majorité, le peuple était analphabète et, de plus, la guerre contre les Soviétiques provoqua la fermeture des rares écoles. Mais les femmes, déjà, touchaient le fond de la misère intellectuelle. Quand les garçons bénéficiaient parfois encore de l'enseignement coranique, seul moyen d'apprendre à lire, les filles ne jouissaient que rarement de ce privilège. Confinées dans la maison dès leurs premières règles, elles devaient pour sortir revêtir le pourdah, cape hermétique percée, au niveau des yeux, d'un orifice recouvert d'un croisillon de coton.

Dans cet univers resté inchangé depuis sa traversée par Marco Polo au XIVe siècle, je découvrais pourtant une tradition faite de courtoisie. Derrière de rugueuses apparences et une intolérance de façade, les Afghans, surtout les Tadjiks du Nord, savaient contourner les interdits religieux les plus excessifs. Très présente, l'antique civilisation persane, sa poésie souvent transmise oralement, ses contes et ses mœurs de douceur

15

tempéraient de leur miel l'âpreté de l'islam. Les deux s'harmonisaient, comme l'amer et le sucré dans la gastronomie chinoise.

★<br>★ ★

Le sort me fit aussi connaître un homme remarquable.

Il s'appelait Zabihullah. Ses hommes, pour l'honorer, accolaient à son nom le titre de khan. Il commandait, au nom de son parti, une région grande comme plusieurs départements français. Petit homme rond aux allures de bouddha, l'allure effacée, l'œil pourtant toujours pétillant de malice, il n'avait rien d'un guerrier. Professeur de théologie de son état, il avait parmi les premiers pris les armes contre les Soviétiques. Il campait dans les grottes d'un défilé, Tangi-Marmol, sur les bords d'un ruisseau, à vingt kilomètres au sud de Mazar-e-Charif.

Six années de suite, partant au printemps, je repris le chemin de ses maquis. Désormais, je voyageais à cheval. J'appris la principale langue du pays, le dari, version afghane du persan. Le temps aidant, la confiance s'installant entre nous, en dépit de nos différences, nous devînmes amis, Zabihullah et moi.

C'était au printemps 1983, je crois. Parti du Pakistan avec deux compagnons, j'avais pressé le pas de ma monture, laissant la caravane trois jours en arrière. Arrivant dans la base de Zabihullah, je me rendis immédiatement dans son antre. Assis sur une couverture militaire, il conférait avec ses principaux commandants. Il mit immédiatement un terme à sa réunion pour me recevoir. Rien d'ostentatoire dans son accueil. Il me parla comme si nous nous étions quittés la veille. Nous sacrifiâmes au cérémonial du thé. Je retrouvai presque avec plaisir le détestable arrière-goût de sel de l'eau de Tangi-Marmol.

La politesse fait durer les salutations en terre persanophone. Quand nous passâmes aux affaires de son maquis, je lui annonçai :

« J'ai obtenu un approvisionnement régulier en médicaments d'une organisation humanitaire occidentale basée à Peshawar. Deux mules les transportent. Elles arriveront dans quelques jours avec le convoi d'armes. Pour qu'un nouveau chargement te soit adressé, il te suffit de signer immédiatement ce papier, pour accuser réception, et de le renvoyer le plus vite possible par porteur au Pakistan. »

Je lui tendis le document. Pour moi, cela allait de soi. Il manquait d'antibiotiques et de morphine pour les blessés. Il n'avait même pas de pansements et d'antiseptiques. Sa réponse me laissa interdit :

« Je ne peux pas signer avant d'avoir reçu ici les médicaments. Ou alors, je ferais un faux témoignage... »

J'essayai de le convaincre, mais rien n'y fit. Il attendit trois jours de plus. Il n'agissait pourtant pas par mépris de la souffrance de ses hommes. J'en eus la preuve une autre fois.

★
★ ★

17

Les messagers rapportaient des informations concernant des attaques de caravanes, commises par les hélicoptères soviétiques, sur les chemins reliant la résistance aux bases arrière du Pakistan. Or, Zabihullah espérait une livraison de plusieurs mitrailleuses lourdes en pièces détachées. Je le voyais soucieux, ces armes devant assurer une meilleure sécurité de ses bases en cas de pilonnage aérien.

Pourtant, quand un coursier arriva pour lui annoncer la mort d'un ami tombé dans une embuscade, il planta là son travail et marcha toute une nuit pour aller réconforter le père de la victime.

★

★ ★

D'étranges rumeurs circulaient néanmoins à propos de Zabihullah.

Un jour de 1983, il m'emmena dans un village au-dessus de la vallée de Cholgara, où il voulait visiter l'un de ses camps d'entraînement. Le soir, il m'appela pour lui tenir compagnie à la lueur de la lampe à pétrole. Assis sur un tapis apporté d'une maison, nous sentions l'air frais de la nuit descendre du ciel. Une odeur d'arnica montait des épineux dont se nourrissaient les troupeaux de moutons. Sur son poste, il écouta les informations de la BBC en persan puis, remplissant nos verres de thé, il m'interrogea une nouvelle fois sur le fonctionnement de nos pays d'Occident et mes conceptions de la politique.

À mon tour, j'osai quelques questions sur sa famille, son adolescence, sa manière de concevoir l'islam. Enfin, je me jetai à l'eau :

«J'ai entendu dire que tu avais tué ta sœur de tes mains. Est-ce vrai?

– Oui, c'est vrai», répondit-il sans hésiter.

Sur mon visage, il dut lire la surprise.

«Elle avait épousé un communiste, poursuivit-il, et trahi ainsi sa religion et son peuple. Je n'avais pas le choix. C'était mon devoir de musulman.»

Une suée froide me coula le long de la colonne vertébrale. Il avait parlé sans conviction excessive, avec douceur même. Comme s'il se fût agi d'une simple punition infligée à un gosse pour une peccadille. Avais-je donc un monstre en face de moi? Sa conduite habituelle démentait cette hypothèse. Réfléchissant, je finis par comprendre. Il subissait le poids de la tradition et plus encore, pour un homme religieux comme lui, la contrainte des lois coraniques.

Un an plus tard, on lui annonça la capture d'une femme par ses moudjahidine. Elle s'était enfuie du foyer conjugal et cherchait à rejoindre la ville de Mazar-e-Charif.

Zabihullah écouta le rapport de ses hommes. Posa des questions sur la fugitive, sur les conditions de son mariage. Ses doigts jouaient avec son stylo. Je le sentais hésitant. Il me lança un regard interrogateur, quêtant un avis.

«Ne peut-elle pas divorcer? lançai-je.

– Elle a commis une faute grave en désertant sa maison, rétorqua-t-il, et son mari la réclame.

– Alors que comptes-tu faire?

– Je n'ai pas le choix, je vais la renvoyer chez elle...»

Le lendemain, nous allions visiter la clinique installée par Médecins sans frontières dans le secteur de
Zari. Chemin faisant, il amena son cheval à la hauteur
du mien. Il portait un treillis militaire et le «pakol» du
Nuristan, sorte de béret popularisé par Ahmad Chah
Massoud et ses combattants. Nous parlâmes de choses
et d'autres puis, de lui-même, il me dit:

«Tu te souviens de la femme arrêtée hier?»

Je hochai affirmativement de la tête.

«Je l'ai envoyée chez son oncle en attendant le jugement.

– Quel jugement?

– Celui du village.

– N'y avait-il pas d'autres moyens?

– C'était ça ou la remettre à son mari. Autrement,
toute la vallée se serait liguée contre moi. Je n'avais
pas le choix. Et puis, quoi faire de cette femme? Son
mari la bat, je le sais, mais son père ne veut, ni ne
peut, rembourser le douaire de sa fille. Elle n'a donc
pas la possibilité de divorcer.»

Il existe en Afghanistan une tradition. On ne dote pas
les jeunes filles, mais le père du promis verse une
somme importante, le douaire, à celui de la future
mariée. Pour rompre les épousailles, il faut rembourser
cet argent.

Pourtant ferme dans ses convictions, Zabihullah
évoluait, demeurant cependant dépendant de son
environnement.

La fatalité allait mettre un terme à sa transformation.
Au début de l'année 1985, au Canada, où j'organisais un

cycle de conférences sur son pays, j'appris sa mort. Une milice procommuniste, stipendiée par Moscou, avait placé une mine sur la piste qu'il devait emprunter avec sa jeep.

★

★ ★

On mesure souvent mal en Occident de quel poids pèse l'islam sur la destinée des musulmans. Le Coran, selon eux, est la parole de Dieu révélée à Mahomet. Or, non seulement Dieu ne saurait se tromper, mais, de plus, ses édits sont valables «en tous temps et en tous lieux».

Chez nous, nous avons tendance à prêter aux autres religions les caractères du christianisme. Souvent par ignorance, parfois pour plaire aux mahométans, des Occidentaux affirment l'islam «religion de paix», comme celle du Christ. Certes, le Nouveau Testament, dans l'esprit comme dans la lettre, ordonne aux chrétiens une conduite pacifique. On peut même parler de pacifisme quand on lit dans l'évangile: «Celui qui te tape sur une joue, présente-lui aussi l'autre; et celui qui te prend ton manteau, ne l'empêche pas non plus de prendre ta tunique» (Luc, VI, 29).

En islam, il en va tout autrement. Dans le Coran, une quarantaine de versets légifèrent sur le jihad dans son interprétation guerrière. Qu'il suffise de citer quelques versets:

«Combattez-les [ceux qui vous combattent] jusqu'à l'élimination de toute subversion et jusqu'à ce que le culte soit rendu seulement à Dieu...» (Sourate II, verset 193).

«Ceux des croyants qui demeurent dans leurs foyers ne sont pas égaux aux croyants qui exposent dans la lutte pour la cause de Dieu leurs biens et leurs personnes...» (Sourate IV, verset 95).

«La rétribution de ceux qui font la guerre à Dieu et à son Prophète et sèment le désordre sur la terre sera l'exécution ou la crucifixion ou l'ablation des mains et des pieds opposés ou le bannissement de leur pays...» (Sourate V, verset 23).

«Que les infidèles ne s'imaginent pas qu'ils ont pris de l'avance. Certes, ils ne sauraient nous tenir en échec.

Préparez contre eux ce que vous pouvez comme force et comme chevaux. Ainsi vous terroriserez les ennemis de Dieu, les vôtres et d'autres encore que vous ne connaissez pas, mais que Dieu connaît...» (Sourate VIII, versets 59 et 60).

«Lorsque vous affrontez les impies, tranchez-leur le cou jusqu'à reddition. Enchaînez alors les captifs solidement et lorsque la guerre aura pris fin, libérez-les gracieusement ou contre rançon...» (Sourate XLVII, verset 4) *.

---

* Nous avons utilisé la traduction du Coran réalisée par le cheikh Si Boubakeur Hamza, ancien recteur de la Mosquée de Paris et père de l'actuel responsable des lieux. Parfaitement bilingue et toujours resté fidèle à la France, algérien d'origine, le cheikh Si Boubakeur Hamza n'avait rien d'un extrémiste. Voilà pourquoi nous avons préféré sa traduction à celles effectuées en Arabie Saoudite, dont on pourrait craindre la complaisance à l'égard de l'islamisme.

À la lecture de ce florilège, impossible de douter du caractère guerrier du Coran. Quand des musulmans versés dans leurs écritures affirment eux aussi l'islam religion de paix, au mieux, ils jouent sur les mots. Car si le mot islam à une racine commune avec *salam*, « la paix» en arabe, il signifie aussi soumission. En d'autres termes, il s'agit d'une paix après reddition, à Dieu selon le Coran, au gouvernant musulman dans les faits. Il faudrait parler de paix suivant la guerre et non de paix se substituant à celle-ci.

Le texte coranique, en sacralisant la violence islamique, fait de la religion une cause première du terrorisme musulman. Refuser de l'admettre revient à pratiquer la politique de l'autruche et à s'interdire de trouver une solution.

Mais au danger de l'aveuglement s'en ajoute un autre, l'excès consistant à voir dans chaque musulman un tueur prêt à trucider son voisin. D'abord, beaucoup de musulmans n'ont qu'un seul désir, vivre pacifiquement. Ils se contentent d'une interprétation apaisée du Coran et seraient bien surpris d'apprendre qu'il les invite au jihad. Ensuite, même pris dans la tourmente de la guerre, des hommes comme Zabihullah nous donnent espoir. Encore aurait-il fallu les aider, en Afghanistan. L'Occident, les États-Unis en tête, allaient faire un autre choix.

CHAPITRE 3

# L'islamisme corrupteur

Après la disparition de Zabihullah, au printemps 1985, je reprends l'avion pour le Pakistan. «Cette année, m'explique le responsable politique des maquis de Mazar-e-Charif à Peshawar, nous faisons un convoi de camions jusque dans le nord.» Je n'en reviens pas de l'amélioration soudaine des moyens de la guérilla afghane.

Un chauffeur pakistanais me fait traverser la zone tribale, interdite par les autorités aux étrangers. Pour s'y déplacer, il faut abandonner les vêtements européens, porter le turban et la tenue afghane, une sorte de pyjama à pantalon large. Après une demi-journée de route, nous arrivons au village de Wana. Ici les moudjahidine louent une maison.

Un portail de fer s'ouvre dans des murs de quatre mètres de haut. Décorés de peintures naïves et de breloques métalliques, trois camions Bedford occupent une partie de la cour. À côté s'entassent des caisses d'armes et de munitions. Je compte plusieurs centaines de roquettes antichars de fabrication chinoise. Des dizaines de combattants sont assis sur des bâches.

Kalachnikovs en travers des genoux, la plupart n'ont pas dix-huit ans. Je reconnais une poignée d'anciens. Nous scellons les retrouvailles en buvant un verre de thé.

Des personnages étranges attirent cependant mon attention. Ils sont quatre, assis un peu à l'écart, mais traités avec égards par les moudjahidine. Dans la chaleur étouffante, ils étanchent leur soif avec force sodas tirés d'un seau de glace. Un luxe pour les Afghans désargentés.

J'interroge le responsable de l'endroit, un homme d'une quarantaine d'années à la main estropiée par l'explosion d'une grenade :

«Qui sont ces gens ?

– Des Arabes venus faire le jihad avec nous contre les Soviétiques», m'explique-t-il.

Curieux, je m'approche des quatre hommes. Âgé d'une trentaine d'années, celui qui paraît le chef cache son visage émacié derrière une barbe noire. Il est vêtu d'une tenue sombre. Il me jette un regard noir. Je sens en lui de l'agressivité. Il ne répond pas à mes salutations. Plus jeune, l'air un peu perdu, l'un de ses compagnons m'adresse la parole, surprise, en français. Il est algérien et prétend être venu au Pakistan pour poursuivre des études. La kalachnikov qu'il serre dans sa main dément son propos. Néanmoins, devant l'hostilité des trois autres, je n'insiste pas.

Le soir, à la lueur des lampes à pétrole, je vois quelques Afghans entourer le groupe d'Arabes. Le plus vieux parle d'abondance dans un persan hésitant agrémenté de mots de sa propre langue. Il tient des propos étonnants.

«Les médecins français, affirme-t-il, veulent détruire l'islam.»

À l'écouter, cette généreuse jeunesse venue, au risque de sa vie, aider les Afghans avec Médecins sans frontières ou Médecins du monde distribuerait des photos de femmes nues et, comble de l'horreur, des crucifix à leurs patients. Si ces calomnies font souche, les garçons et les filles de nos organisations humanitaires risquent de se faire écharper par la population.

L'homme est intarissable.

«Savez-vous à qui appartient le monde?» avance-t-il avec autorité.

Devant le silence du cercle formé autour de lui, il déclare:

«Mais aux musulmans, bien sûr! Et un jour, nous convertirons tous les infidèles à l'islam. Nous leur ferons la guerre sainte et gouvernerons la planète…»

Mohsen combat depuis l'entrée des Soviétiques en Afghanistan. Les communistes ont saisi sa ferme et emprisonné son père. Il a été le premier à me donner l'accolade à mon arrivée. Lui, le guerrier, il m'a raconté la mort de Zabihullah en pleurant. Je l'observe écoutant l'orateur, le visage figé, ses yeux de Turkmène réduits à une fente. Je le rejoins dans le coin de la cour qu'il a aménagé pour installer son sac de couchage. Il a déjà placé sa kalachnikov sous son turban bleu, roulé en boule en guise d'oreiller. Un truc de guérillero pour ne pas se faire voler son arme en dormant.

27

«Que penses-tu des propos de cet Arabe?»

Il m'observe quelques secondes, un peu gêné, avant de répondre:

«Tu sais, ce n'est pas de toi qu'il parle.

– Non, il insulte les médecins français. Tu sais très bien qu'il ment. Toi et moi, nous nous sommes rendus ensemble dans leurs cliniques. Nous n'avons jamais rien vu de semblable.»

Il ébauche un sourire.

«Personne ne le croit, avance-t-il.

– Mais écoute-le, il appelle à la guerre sainte contre le monde entier. À ce régime, vous allez perdre le soutien des pays occidentaux.

– Nous n'avons pas le choix. Ses amis arabes nous donnent de l'argent et ils ont affrété pour nous les camions. Oustad Rabbani, notre chef, nous a demandé de les traiter avec respect.»

Il fait référence au patron de son parti, Bourhanuddin Rabbani, surnommé Oustad, « professeur», en raison de son passé d'enseignant. À mes yeux, la résistance afghane se fourvoie.

Quelques jours plus tard, sur la route afghane, l'Arabe à la barbe noire daignera m'adresser la parole. Il a retrouvé l'usage du français, dont il prétendait tout ignorer. Ayant entendu parler de ma relation d'amitié avec Zabihullah, il cherche à me convertir à sa religion. J'en profite pour en savoir plus.

«Pourquoi ne pas nous rejoindre? insiste-t-il. Déjà des milliers de tes compatriotes ont pris la vraie religion. Bientôt des millions vont se convertir. Nous installerons un gouvernement islamique à Paris et appliquerons la charia [la loi islamique] sur l'ensemble du pays.

– Qu'adviendra-t-il des Français qui refuseront de se soumettre?

– Ceux qui accepteront de payer un impôt spécial, la *jizya*, pourront pratiquer librement leur religion. Les autres seront exécutés. C'est l'ordre de Dieu...

– Et les athées?

– Les impies doivent mourir.»

J'apprends aussi qu'il est algérien, se fait appeler Abdallah Anass, de son vrai nom Boudjemah Bounoua Anass. Je n'ai pas fini d'entendre parler de lui.

★<br>★ ★

L'un de ses compagnons, Mahmoud, celui qui a accepté de me saluer à mon arrivée, devise plus facilement avec moi. Il cède à ma demande et me raconte son histoire:

«J'avais envie de voyager, me dit-il. J'ai un cousin en France et je souhaitais le rejoindre, mais mon père, un haut fonctionnaire, ne m'autorisait pas à quitter l'Algérie avant la fin de mes études. Il m'interdisait de sortir et ne me laissait aller qu'à la mosquée du quartier. J'y ai connu Abdallah Anass. Il m'a parlé de l'Afghanistan, dont il revenait.

« Un jour, il a apporté un magnétoscope et des cassettes. On voyait les moudjahidine faire la guerre aux Russes. C'était plus fort qu'un film. Quand les combattants musulmans s'élançaient contre les postes des infidèles en criant *Allah o akbar* [«Dieu est grand»], ça prenait au ventre.»

Je ne comprends pas très bien par quel subterfuge Mahmoud est parvenu à quitter l'Algérie. Il s'embrouille dans ses explications, cherchant à brouiller les pistes. Son histoire redevient claire quand il décrit son séjour en Égypte.

«Au Caire, poursuit-il, nous étions plusieurs jeunes, qui attendions de nous embarquer pour le Pakistan. J'habitais dans une famille de vrais musulmans qui ne buvaient pas d'alcool et faisaient leurs cinq prières par jour. Le père était médecin et aidait les moudjahidine afghans en leur envoyant de l'argent et des médicaments. Il m'a expliqué que nous, les croyants, nous avons une mission, celle de faire le jihad contre les infidèles qui martyrisent nos frères. Un soir, il m'a accompagné à l'aéroport en me disant que j'avais de la chance de partir pour l'Afghanistan. "Dans quelques jours tu verras la lune et le soleil se lever sur un pays béni d'Allah", m'a-t-il répété plusieurs fois.»

★

★  ★

Moins d'une semaine plus tard, nos camions s'infiltrent en Afghanistan. Mais notre voyage en camion est interrompu à une centaine de kilomètres de la frontière. L'aviation nous a repérés et devant nous, nous informe la population, un convoi est tombé dans une embuscade. Nous nous replions sur le Pakistan. Je prépare un nouveau départ, préférant me déplacer à cheval.

Je profite de ce changement de programme pour me rendre à l'ambassade des États-Unis à Islamabad, capitale du Pakistan. En tant que principal soutien de la résistance, les Américains sont seuls capables selon moi de gérer la menace des extrémistes arabes.

Le lieu ressemble à un bunker. Pour entrer, il faut d'abord franchir le contrôle d'un poste tenu par des Pakistanais. Facile, il suffit de leur parler anglais avec un peu d'arrogance. Après, l'affaire se révèle plus délicate. Je demande d'abord à rencontrer un diplomate. Le réceptionniste me demande pourquoi. Je me vois mal parler d'un complot islamiste pour justifier ma requête. Je lâche :

«Je reviens d'Afghanistan, j'ai vu des choses intéressantes...»

Là, le cerbère s'apprivoise. Quelques minutes d'attente et un grand gaillard rougeaud me reçoit dans un bureau réservé aux entretiens. Je ne me souviens plus de son nom. Je ne suis même pas sûr qu'il soit un authentique diplomate. D'instinct je sens un homme de la CIA. Peu m'importe, je veux faire passer l'information. Il m'écoute. Après les présentations d'usage, j'entre dans le vif du sujet :

«J'ai rencontré des Arabes intégristes à la frontière et à l'intérieur de l'Afghanistan. Ils endoctrinent les Afghans et les montent contre l'Occident, principalement contre les médecins et employés d'organisations humanitaires étrangères présents sur place. À mon avis, il y a un vrai danger pour la sécurité des étrangers et, à long terme, pour nos pays.»

En guise de réponse, le malin m'interroge à propos de mes précédents voyages. Il cherche à obtenir des renseignements sur les maquis visités et les méthodes de combat des Soviétiques. Je reste évasif et reviens sur la raison de ma visite :

«Je crains des incidents graves. Ces Arabes appartiennent aux mouvances extrémistes. Ils haïssent les Occidentaux...»

Là, l'Américain m'arrête. Il affiche un grand sourire plein d'assurance pour asséner d'un ton protecteur :

«*Your name is Alan, isn't it? Never mind Alan, everything is under control* ∗...»

Sortant de l'ambassade climatisée, je retrouve l'air chaud et saturé d'humidité d'Islamabad. Construite après l'indépendance, c'est une ville moderne, sans passé. Sur les carrés de verdure inhabités, le haschich pousse à l'état sauvage, répandant une odeur sucrée de pourriture. Ironie de la nature, le puritain régime pakistanais règne au milieu d'un champ de drogue douce.

J'ai un mauvais pressentiment. L'avenir va le justifier.

À partir de 1985, les rapports changent entre la résistance et les organisations humanitaires occidentales. Le Jamiat, sur lequel nous fondons le plus d'espoir en raison de sa modération, se met à refuser le personnel féminin dans les cliniques de Médecins du monde ou de Médecins sans frontières (MSF). En clair, les femmes afghanes ne pourront plus recevoir de soins car, dans ce pays archaïque, aucun père ni aucun

---

∗ «Vous vous appelez Alain, n'est-ce pas ? Ne vous inquiétez pas Alain, tout est sous contrôle.»

époux afghan n'acceptera de laisser soigner la population féminine par des hommes.

Devant l'envoyée de MSF, Bourhanuddin Rabbani reconnaît avoir pris cette décision sous la pression des «frères arabes». Déjà, on parle de la fermeture des écoles financées par les organisations humanitaires et fonctionnant sur la base imposée d'un quota de petites filles.

Zabihullah m'avait demandé de lui amener des équipes de MSF avec des jeunes filles pour traiter les femmes. Comment réagirait-il à cet interdit nouveau s'il vivait toujours? Je crois qu'il en ferait fi.

Plus grave apparaît le rôle des Américains dans cette affaire. Au Pakistan, ils contrôlent plusieurs camps où ils entraînent les Afghans, y compris dans l'agglomération d'Islamabad-Rawalpindi. Là, ils disposent d'une base souterraine où ils commencent à instruire des combattants à la mise en œuvre des stingers, des missiles antiaériens qui vont changer la face de la guerre. À partir de 1986, ces armes empêcheront les Soviétiques de patrouiller à basse altitude avec leurs avions ou leurs hélicoptères. Or, dans ces bases, tout le monde le sait, des Arabes reçoivent une formation militaire aux côtés des Afghans. La CIA le sait.

Pire, elle encourage les extrémistes arabes à rejoindre les fronts de la guérilla. Elle facilite l'obtention des visas, distribue des cassettes vidéo illustrant les combats contre les Soviétiques, comme celle présentée aux recrues potentielles par Abdallah Anass. L'agence américaine prend même contact avec des membres de l'internationale islamiste, comme le cheikh Abdel Rahmane, un agitateur égyptien atteint de cécité. En 1993, celui-ci participera à l'organisation de la première attaque contre les tours jumelles du World Trade Center. En attendant ce retournement d'alliance, sa mission consiste, avec d'autres, à prêcher le jihad contre les Soviétiques.

★<br>★ ★

À première vue, on pourrait croire que les dirigeants de la CIA sont devenus fous. En fait ils fonctionnent, croient-ils, en conformité avec les règles apprises des Britanniques quand, pendant la Deuxième Guerre mondiale, les futurs officiers supérieurs de l'agence se formaient auprès des services de sa Gracieuse Majesté.

Le procédé est des plus simples. Quand vous avez deux ennemis, eux-mêmes adversaires entre eux, vous envenimez leur conflit et aidez le plus faible contre le plus fort. Lorsque le rapport de force s'inverse, vous changez de poulain. Ainsi, vos adversaires, trop occupés à s'entre-déchirer, ne s'occupent-ils pas de vous. Ils gaspillent ainsi leurs forces, retardant d'autant le jour d'une attaque contre vous.

En Europe, les Britanniques ont plusieurs fois dans l'histoire agi de cette manière, venant en renfort de l'Allemagne, quand elle était la moins forte, pour affaiblir la France ; et de la France, quand le sort lui était moins favorable face à sa voisine germanique. Ils ont repris cette stratégie en Égypte en 1929, favorisant l'émergence des Frères musulmans, une organisation islamiste, pour l'opposer aux indépendantistes égyptiens, alors que Londres gouvernait au Caire.

Dans un premier temps, les Américains jouent bien. Soutenant les extrémistes arabes contre l'Union soviétique, ils se servent du faible pour neutraliser le fort. Mais, dans la logique anglo-saxonne, ils devraient venir en aide à la Russie quand celle-ci perd pied. Ils entretiendraient alors un abcès de fixation et se préserveraient des foudres islamistes. Au lieu de quoi, ils gardent ces derniers pour alliés.

Du moins le croient-ils, car ils nourrissent dans leur sein un bébé dragon. Les islamistes se servent des Américains, ils ne se considèrent pas comme leurs alliés, encore moins comme leurs amis.

Sans le savoir, les États-Unis jouent avec le feu. Dans leur ombre, un homme polit sa haine contre eux. Il s'appelle Oussama Ben Laden.

# CHAPITRE 4

# Comme un vol de gerfauts...

Oussama Ben Laden est né à Riyad (Arabie Saoudite) en 1957, an 1377 du calendrier musulman. Il est le quarante-troisième enfant et le vingt et unième garçon d'une fratrie qui comptera cinquante-quatre rejetons. Sa mère s'appelle Alia Aziz Ghanem, une Syrienne de grande beauté, dit-on, et la dernière épouse de son père qui convolera onze fois.

Ce dernier vient de la vallée de l'Hadramaout, dans le Sud-Yémen. Il se dit sunnite, comme la majorité des musulmans. Pourtant, concernant son affiliation religieuse, apparaît une interrogation. D'une grande piété, toute sa vie il soutient le mythe du Mahdi, personnage censé apparaître quelques années avant la fin du monde, pour rétablir la justice. Il va même créer un fonds de charité dans l'intention d'aider le Mahdi à restaurer l'âge d'or de l'islam.

Certes, des sunnites adhèrent parfois à cette croyance. Elle n'en demeure pas moins associée à la doctrine chiite. Or, plus de la moitié des Yéménites confessent le culte d'une des multiples sectes de cet autre islam. Les Zaydites, par exemple, dont les imams gouvernèrent le pays jusqu'en 1962.

Par sécurité, en milieu sunnite, considéré comme hostile, les chiites peuvent cacher leur véritable religion pendant des siècles. On appelle cet usage la *taqiya*. En Tunisie, par exemple, nous avons retrouvé des chiites dissimulant leur allégeance confessionnelle, quand on les croyait exterminés depuis 800 ans.

★

★ ★

Une légende accompagne l'installation en Arabie Saoudite du père, Mohammed «Binladin», comme il écrit son nom. Il serait arrivé simple paysan et, pour nourrir sa famille, aurait travaillé comme docker sur le port de Jeddah, avant de mettre sur pied une petite entreprise de construction. Puis, brusquement, on ne sait pas quel mystère, il devient un familier des Saoud, la dynastie au pouvoir. Il aurait su conquérir leur confiance en effectuant pour eux des travaux dans les palais royaux.

On a l'impression de lire un conte des *Mille et Une Nuits*. La réalité pourrait être moins idyllique. En potentat oriental, le roi Abd al-Aziz sait alterner faveurs et intimidations, pour s'assurer de la loyauté de ses serviteurs les plus proches. Côté faveurs, il permet à Mohammed de s'enrichir, faisant de lui l'un des plus grands entrepreneurs de travaux du royaume, en multipliant auprès de lui les commandes.

Côté intimidations, vraie ou fausse, une rumeur de palais circule. Les Ben Laden descendraient d'un clan royal yéménite. Cela ferait donc bien d'eux des chiites. Le calcul des Saoud reposerait-il là-dessus? Car il faut savoir dans quel mépris les sunnites tiennent les chiites. Qu'une pareille affaire soit évoquée sur la place publique saoudienne et ce serait la déchéance pour les Ben Laden.

Cependant, si l'ascendance chiite des Ben Laden était avérée, comme nous inclinons à le penser, les rois saoudiens auraient une autre raison de privilégier une famille venue chez eux sans le sou. Ils ont toujours rêvé d'annexer le Yémen. Quelle aubaine alors, pour eux, de compter parmi leurs proches, soumis par la peur et l'intérêt, un homme et ses fils jouissant d'une légitimité sur ce pays. Voilà qui expliquerait, en tout cas, le titre de cheikh, surgi d'on ne sait où, dont les Saoudiens honorent les Ben Laden.

★
★ ★

Mohammed sait naviguer dans les complots de palais. Il choisit de se ranger derrière le prince Fayçal. Celui-ci a des projets grandioses pour le royaume. Le pétrole coulant à flot, il veut en profiter pour bâtir une infrastructure moderne en Arabie. Une aubaine pour un constructeur. Le pays traversant une crise financière causée par la gabegie du pouvoir, le père d'Oussama suggère alors au roi de démissionner en faveur du prince Fayçal.

On mesure le niveau d'enrichissement déjà atteint par l'entrepreneur. Fayçal devenu roi, Mohammed paye de sa poche les salaires des fonctionnaires pendant six mois. En remerciement, le nouveau maître des destinées du royaume le nomme ministre des Travaux publics et lui accorde un monopole des contrats de construction de l'État.

En 1969, la mosquée d'Al Aqsa, à Jérusalem, est ravagée par le feu. Elle est le troisième lieu saint de l'islam et le roi de Jordanie en assure l'entretien, suite à un accord passé avec les Israéliens. Il lance un appel d'offres pour la remise en état du bâtiment. Avec le soutien des Saoud, Mohammed obtient le marché. On dit qu'il soumissionne en dessous du coût de revient, payant de sa poche le surplus. L'entrepreneur se voit aussi chargé d'agrandir les mosquées de La Mecque et de Médine, les deux autres sites sacrés, par le Coran et l'usage. Le premier vit naître Mahomet, le second hébergea les derniers moments de sa vie.

Ces travaux confèrent une quasi-sainteté au père d'Oussama. La sainteté et la richesse. Pourtant, la légende, toujours cette légende orientale, le dit gardant, sur une étagère de son salon, le balluchon avec lequel il arriva de son Yémen natal.

À la maison, il exige l'obéissance de ses enfants et fixe pour eux un programme quotidien. Chaque jour, il veut les voir et prendre au moins un repas avec eux. Il les éduque dans une stricte obédience musulmane et leur inculque le respect des codes sociaux. En toutes choses, il les veut pratiquant l'humilité, règle islamique héritée de Mahomet. En Occident, on comprend mal que ce comportement, même s'il est souvent teinté d'hypocrisie, soit élevée au rang de vertu.

Il envoie aussi sa progéniture dans les meilleures écoles à travers le monde. Plusieurs fréquentent le collège Victoria, à Alexandrie (Égypte). Un établissement où se retrouvent des fils de princes arabes et ceux de la haute bourgeoisie moyenne-orientale, comme le roi de Jordanie, Omar Sharif ou les frères Kashoggi, dont le nom s'illustrera dans le commerce international des armes. Vivant aujourd'hui en Suisse, le frère d'Oussama, Yeslam, né en 1950, est envoyé dans un pensionnat au Liban. Il poursuit ensuite en Suède des études universitaires d'économie qu'il termine aux États-Unis, à Los Angeles.

Oussama, lui, demeure en Arabie. Il étudie à Jeddah, où il obtiendra un diplôme universitaire d'administration publique. Il doit sans doute ce traitement plus modeste au fait que sa mère n'est pas la préférée de son époux. Cependant, à l'âge de l'école, sur les photos de famille, on le voit souriant et insouciant. Ses enseignants de l'époque parlent d'un garçon sans histoire et qui ne se manifeste par aucun zèle religieux particulier.

Premier coup de semonce dans sa vie, le père d'Oussama meurt en 1970 dans un accident d'avion. L'enfant a treize ans. Son frère aîné, Salem, prend la direction de la famille et des affaires, gérées désormais de manière collégiale.

Mais il manque un père à Oussama. Il lui faut aussi un confident. Il a environ quatorze ans quand il fait la connaissance d'Abdallah Azzam, un Palestinien venu gagner sa vie comme professeur de théologie en Arabie Saoudite.

Né en 1941 dans la région de Jénine, en Cisjordanie, Abdallah Azzam émigre de l'autre côté du Jourdain en

1967, à la suite de la guerre des Six Jours et de l'occupation israélienne. Associant religion et haine de l'envahisseur, il rejoint les Frères musulmans, une organisation islamiste née en Égypte en 1929, et fait le coup de feu avec eux contre Tsahal. Cependant, plus intellectuel que guerrier, il décide de reprendre ses études et part pour Le Caire où il obtient un diplôme de droit islamique.

Là, il fréquente les anciens amis de Sayyed Qotb, un Frère musulman partisan de l'action violente, pendu en 1966 par les autorités égyptiennes. Puis, il s'installe en Arabie Saoudite. Son enseignement fait frémir. Il dit : «Seuls le jihad et le fusil. Aucune négociation, aucune conférence et aucun dialogue.»

★<br>★ ★

Oussama avait connu nombre de personnalités musulmanes hébergées par son père au moment du pèlerinage annuel. Il les avait entendues s'exhortant à la piété, mais acceptant l'environnement politique comme une fatalité. Avec Azzam, il fait la connaissance de l'islam révolutionnaire, de l'islam du sacrifice.

Non que ces deux manières de croire s'opposent. Elles se complètent. Elles fonctionnent comme les deux mains d'un même corps, chacune pouvant ignorer le travail de l'autre ou, au contraire, s'activer à la même tâche. C'est la spécificité de l'islam, où rien ne centralise, faute d'une autorité supérieure, mais où tout converge vers une unité de croyance et d'identité.

Gosse de riche sans cause, Oussama accepte mal les rigoureux principes hérités de son père et entretenus par son frère Salem, devenu le chef de famille. Cette discipline, en pleine crise d'adolescence, il la rejette. Mais, comme un jeune homme qui quitterait sa famille pour s'engager dans l'armée, passant d'une autorité qu'il renie à une autre qu'il accepte, Oussama cherche à s'affranchir du pouvoir de Salem pour enrôler ailleurs sa jeune force.

Substitut paternel, Azzam lui offre un choix. Il le fait basculer du côté de la face noire de l'islam sans même que le jeune Ben Laden, âgé de seize ans, s'en rende compte. Il est fasciné. Lui qui a tout, grâce à la fortune héritée de son père, son goût d'absolu lui fait franchir le pas. Mais il n'est encore qu'un croyant trop dévot. Son discours, celui d'un adolescent révolté par l'injustice, ne s'accompagne pas encore de la volonté de passer à l'action. Il choisit l'islamisme, ou plutôt se laisse choisir par l'islamisme, comme d'autres, en Europe, par le communisme, le maoïsme, voire même autrefois le nazisme. Par soif de croire en quelque chose.

La famille commence à s'inquiéter. Si, sur le plan religieux, le régime saoudien et les islamistes tiennent un discours semblable, ils divergent sur le plan politique. Quand le premier se sert de l'islam pour se légitimer à la tête de l'État, les seconds accusent la plupart des pouvoirs musulmans de corruption et de mauvaise gouvernance. Au nom de la religion, les islamistes, eux, veulent renverser les régimes en place.

La mère d'Oussama décide de marier son fils pour chasser «ces mauvaises idées» de sa tête. À 17 ans, elle lui fait épouser une cousine de Damas. Elle tente ainsi de le rapprocher de sa propre famille, de l'éloigner d'une Arabie Saoudite où elle ne s'est jamais sentie à l'aise, elle, la Syrienne. Le jeune homme n'en continue pas moins de militer aux côtés d'Azzam.

Cependant, comme les autres membres du clan Ben Laden, Oussama entretient de très bonnes relations avec plusieurs membres de la famille Saoud. La dynastie royale n'est pas monolithique. Elle est elle-même travaillée par des différends politiques et des jeux d'influence entre les princes. Dans ce tissu d'intrigues, déjà, une relation de complicité se noue entre le jeune homme et le prince Turki Ben Al Fayçal Ben Al Saoud, futur chef des services de renseignements du royaume, d'une dizaine d'années plus âgé que lui.

Par contre, il semble qu'il n'ait pas, comme on a voulu le faire croire, mené une vie de débauche avant de rejoindre les islamistes. Les informations le signalant dans les boîtes de nuit de Beyrouth ou à Marbella en compagnie du roi Fahd jusqu'en 1999, selon un journal espagnol, semblent relever de la fantaisie ou résultent de confusions avec ses frères.

L'année 1979 va marquer son destin. D'abord, il termine ses études. Ensuite, le 20 novembre, la grande mosquée de La Mecque est prise d'assaut par un commando islamiste. Cette attaque fera 135 morts.

Pour reprendre le contrôle des lieux, les Saoudiens font appel aux gendarmes français du GIGN. Les Ben Laden sont compromis dans l'affaire. Leur entreprise effectue alors d'importants travaux dans la mosquée. En raison de la confiance dont ils jouissent, leurs véhicules ne sont pas contrôlés avant d'entrer dans l'enceinte sacrée. Or, l'un des frères d'Oussama, Mahrous, fréquente lui aussi des groupes islamistes. Il a frayé avec eux à Londres pendant ses études. C'est lui qui a permis aux terroristes de s'introduire dans les lieux en utilisant les camions de la famille. Faible compensation, les Ben Laden fournissent au GIGN les plans nécessaires pour se diriger dans le labyrinthe de couloirs et de souterrains de la première mosquée du monde.

Mahrous est arrêté, mais rapidement élargi et lavé officiellement de tout soupçon de complicité avec les attaquants. On veut le croire abusé par ces derniers. Nous mesurons là la profondeur des relations entre les Ben Laden et la famille royale. Tout autre sujet de ce pays aurait subi la peine capitale. Personne ne peut en douter, il existe un contrat à la vie et à la mort entre ces deux clans.

Il faut pourtant faire le ménage. En raison de ses fréquentations et de l'incident de La Mecque, le roi fait demander à Salem d'éloigner son frère Oussama quelque temps d'Arabie en l'envoyant à l'étranger.

Et là, les Soviétiques, comme nous l'avons vu, débarquent à Kaboul le 26 décembre, une quinzaine de jours après l'attaque contre la grande mosquée. Le jeune homme ressent une vraie colère. Les communistes représentent à ses yeux le summum de l'impiété et ils osent violer la terre musulmane ! Le bon professeur Azzam se charge d'alimenter l'ire de son poulain. Et, profitant du demi-exil imposé à Oussama, il lui suggère de partir au Pakistan, dans les bases arrière de la résistance afghane alors émergente. Il aura ainsi quelqu'un sur place pour le renseigner.

Les autorités saoudiennes, terrorisées à l'idée que les Soviétiques s'emparent de leurs puits de pétrole, accueillent bien le projet d'Oussama. Croyant faire ainsi d'une pierre deux coups, en employant le jeune homme au mieux de leurs intérêts, elles donnent leur feu vert à son départ. Elles ne peuvent pas imaginer les conséquences de leur décision.

«Comme un vol de gerfauts hors du charnier natal», Oussama Ben Laden prend son envol.

# CHAPITRE 5

# L'appel au jihad

Début janvier 1980, arrivant de Karachi, Oussama Ben Laden débarque de l'avion à Peshawar, au Pakistan. L'endroit a encore des allures de ville de garnison du temps de l'occupation britannique. Le long de larges avenues plantées d'arbres, on ne voit que casernes gardées par des sentinelles empesées. Mais le jeune Saoudien se rend ailleurs, dans la partie de la cité désignée sous le nom de University Town, après l'aéroport protégé par ses batteries de mitrailleuses lourdes.

Là, le décor change. Quittant le ruban d'asphalte, le jeune Saoudien s'enfonce dans un dédale de rues boueuses. Par endroits, des baraques se dressent, faites de vieux cartons et de sacs en plastique. Elles hébergent les premiers réfugiés afghans. Quelques maisons de ciment brut signalent les habitations louées par les moins désargentés.

Oussama y rencontre les principaux leaders de la résistance : Rassoul Sayyaf, patron de l'Ittehad, Burhanuddin Rabbani, dirigeant du Jamiat-i-Islami, Gulbuddin Hekmatyar et Yunus Khales, chefs des deux factions concurrentes du Hezb-i-Islami. Il se souvient en particulier de Rassoul Sayyaf. Encore enfant, il l'a vu parmi les invités dans la maison de son père, au moment du pèlerinage annuel de La Mecque.

Il est à la fois impressionné et touché. Dans l'esprit du jihad, la guerre sainte contre les infidèles, il idéalise ces hommes et leur combat. Il souffre de les découvrir si démunis, presque sans armes. Eux, en vieux renards, sentent un bon démarcheur de leur cause dans ce tendron de 23 ans éperdu d'admiration. Il reste parmi eux un mois. Le temps de les connaître et de s'informer de leurs besoins. Il se montre cependant discret, protégeant ses contacts du sceau du secret. Une demande expresse de son ami Turki Ben Al Fayçal Ben Al Saoud, devenu chef des services de renseignements du royaume depuis 1977.

De retour au pays, il rend compte à Turki et à Azzam. Puis il mobilise sa famille et ses proches pour récolter de l'argent destiné à ses amis afghans. Un compagnon de son âge raconte :

« À son retour du Pakistan, nous ne le reconnaissions plus. Il ne pensait plus qu'à aider ces gens. Il nous reprochait nos dépenses quand le jihad se déroulait à notre porte. Il récitait les versets du Coran appelant les musulmans à la guerre pour la gloire de Dieu. »

Il repart à Peshawar et distribue une petite fortune aux chefs de la résistance. Il effectue ainsi plusieurs allers et retours, acquérant une réputation de générosité chez les Afghans.

★
★ ★

Au printemps 1980, Azzam décide de se rapprocher de l'endroit où, à ses yeux, l'histoire se fait. Il s'installe au Pakistan avec sa famille. D'abord à Islamabad, où il trouve un emploi de conférencier à l'université islamique. Un Palestinien de ses amis rapporte ses propos : «Le jihad est en marche. Il va partir d'Afghanistan pour reconvertir le monde, d'un pays pauvre et insignifiant, comme autrefois l'islam prit son envol d'un désert, l'Arabie. Nous ne sommes encore qu'à l'aube du règne de la religion de Dieu...» Il joint l'acte à la parole. Pénétrant en Afghanistan, il visite les maquis. Il se rend dans le sud dans les environs de Kandahar, au Logar, dans les campagnes environnant Jalalabad. Il traverse même les montagnes de l'Hindu Kuch, pour rencontrer Massoud dans la vallée du Panchir.

L'essentiel de son travail est cependant politique. Il écrit des livres : *Rejoins la caravane* et *Défense de la terre musulmane*, appelant à la guerre sainte. Pour lever des fonds, il s'appuie sur les réseaux des Frères musulmans, des associations installées dans tous les pays occidentaux. Chez nous, par exemple, l'UOIF (Union des organisations islamiques de France) qui contrôle une centaine de filiales réparties sur le territoire.

Oussama est alors sous le charme de son maître. L'imitant, au printemps 1982, il entre à son tour en Afghanistan. Il se rend dans la base de Jallaludin Haqqani, un commandant de Yunus Khales opérant au

Paktya dans la région de Khost, en pleine région pachtoune. Le choix n'est pas innocent. L'un des chefs de guerre les plus durs, Haqqani hait les Occidentaux. Au point d'avoir refusé de rendre à sa famille le corps d'un journaliste italien. Ses hommes l'avaient écrasé accidentellement avec un char d'assaut pris aux forces communistes. Il n'avait même pas jugé bon de faire parvenir des excuses à la femme du malheureux.

Quant aux envoyés des organisations humanitaires venus d'Europe, l'un d'eux décrira dans un livre les vexations subies sous l'autorité d'Haqqani.

Par défi, mais aussi comme chez nous on offre à un ami une caisse de champagne, Haqqani donne une arme à Oussama et l'invite «à partager le jihad». N'est-ce pas, dans sa logique, le meilleur moyen d'ouvrir la porte du paradis à quelqu'un pour qui l'on a de l'affection?

Personne ne nous a parlé de ce baptême du feu. Nous imaginons la peur du jeune homme. Son émotion aussi. Il marche *fi sabil illah*, dans la voie de Dieu, en arabe, et dans les pas de Mahomet. Il voit les combattants, sans équipements, une couverture à l'épaule en guise de manteau et de filet de camouflage. Il les observe risquant leur peau en vieux professionnels de la guerre. Du moins est-ce son impression.

Puis il assiste à sa première mort. Un camarade, un Pachtoun ne parlant même pas arabe, tombe à côté de lui. Fauché par une rafale ou saigné à blanc par un éclat d'obus. Il baigne dans son sang, respirant avec peine. Puis il s'éteint. Son visage a pris une pâleur terrible. Oussama lui ferme les yeux et, selon la coutume musulmane, lui bloque la mâchoire avec un mouchoir blanc noué autour de la tête.

Il fera parvenir de l'argent à la famille du défunt. Il verra ainsi beaucoup d'autres morts, dans des affrontements se terminant parfois au corps à corps avec les soldats communistes. Forgé dans cet univers de feu et de sacrifices, il se durcit. L'adolescent Oussama s'efface. L'adulte Ben Laden émerge.

★

★ ★

Les services de renseignements de Washington suivent attentivement les développements du conflit. Turki sert aux Américains de relais. Dans le courant de l'hiver 1983-1984, le numéro deux de la CIA a une longue réunion de travail avec le Saoudien. Ils décident de donner une nouvelle impulsion à la résistance. Pour cela, les aides financières et les livraisons d'armes chinoises, entreposées dans le port pakistanais de Karachi, vont augmenter en volume.

Mais Turki a une idée derrière la tête. Il veut, dit-il, unir le monde musulman contre l'Union soviétique. Afin de recruter des Arabes, le Saoudien propose de lancer une opération de propagande dans les pays islamiques et dans les communautés musulmanes des pays occidentaux.

«En participant aux combats, argumente-t-il, les jeunes musulmans du monde entier renforceront les rangs de la résistance. De retour dans leur pays, ils deviendront autant d'agents anticommunistes répandant la haine de l'Union soviétique.»

L'homme de la CIA boit du petit-lait. L'offre de Turki dépasse ses rêves les plus fous. Or, ce dernier, pour atteindre son objectif, dispose déjà de deux pions : Azzam et le jeune Ben Laden.

★

★ ★

On comprend la motivation stratégique de Turki. On s'étonne par contre que lui, membre de l'oligarchie saoudienne, envisage, en passant par l'intermédiaire des réseaux islamistes, de renforcer leur influence. Ne veulent-ils pas la fin du régime ?

Son comportement s'explique par son caractère. C'est un puritain, incorruptible. Comme son père, l'ancien roi Fayçal, mort assassiné par un neveu en 1975, il n'approuve pas les mœurs, qu'il juge dissolues, de la famille royale. Il reproche leur hypocrisie aux grands du royaume. Quand ils professent le wahhabisme, une idéologie religieuse rigoriste née au XVIIIe siècle en Arabie et adoptée par les Saoud, ils n'en appliquent pas les principes. Aussi, sans aller jusqu'à souhaiter la dissolution du régime, Turki se sent-il, par tempérament, proche des islamistes.

Or, il est un homme puissant. Outre sa position de chef des renseignements, il dispose d'autres moyens. D'une part, son frère Mohamed partage les mêmes sentiments que lui. En 1981, celui-ci a fondé une banque islamique, le « Dar el mal al islami » (la Maison de l'argent musulman) dont il a installé le siège à Genève. Cet établissement affirme respecter les principes islamiques, en particulier la règle interdisant le versement d'intérêts pour rémunérer les prêts.

D'autre part, leur père Fayçal, en 1962, deux ans avant son couronnement, avait créé la Ligue islamique mondiale. Cet organisme a pour mission de «réaliser l'unité et le renforcement du monde musulman, en luttant contre les courants qui détournent les croyants de leur foi... tout en étendant davantage la langue arabe parmi les musulmans...»

La Ligue, représentée dans toute l'Europe, en France rue François-Bonvin à Paris, agit comme un organisme de propagande. Elle finance la construction de mosquées, paye des récompenses aux auteurs de conversions à l'islam et, surtout, enseigne une idéologie religieuse intransigeante, faite de séparation des sexes et de refus des us et coutumes occidentaux. Tant qu'à la fin, on a du mal à faire la différence entre les principes de la ligue et ceux des islamistes.

Les deux frères sont restés influents au sein de cette organisation. Ils s'en servent comme d'un outil au service de leur politique. On est cependant une nouvelle fois surpris par la liberté d'action dont ils jouissent pour se livrer à un jeu aussi dangereux.

Ils profitent en fait des faiblesses du roi Fahd, au pouvoir depuis 1982. Avant qu'il accède à la tête du pays, on le connaissait pour ses nombreuses aventures avec des prostituées et pour ses pertes au jeu dans les casinos de la Côte d'Azur. Deux pratiques prohibées par l'islam et sévèrement dénoncées par l'idéologie wahhabite. Aussi, depuis son avènement, et pour donner de son règne une image plus conforme au puritanisme ambiant, il laisse Mohammed et surtout Turki libres de se livrer à leurs activités militantes.

★

★ ★

Pour participer à de tels montages, certains sont allés jusqu'à croire les Américains bâtisseurs conscients d'un empire islamiste. En réalité, ils sont bernés. Déjà aveuglés par leurs intérêts stratégiques, ils écoutent les chants des sirènes. Ils ont perdu la vue, l'ouïe vient à leur manquer.

Du régime saoudien, ils ont retenu le puritanisme et l'amour du business. Deux caractères pleins de charmes pour un protestant américain. Pour le reste, ils se laissent piéger par les faux-semblants de l'Orient. Ils ont pour interlocuteurs des hommes éduqués à l'occidentale, souvent dans leurs universités, parlant comme eux chiffres et faits concrets. Mais, sous ce vernis, se cache une autre culture, une autre approche du monde et de ses réalités.

Turki, un pied dans la modernité et la tête dans des rêves d'expansion musulmane dignes du Moyen Âge, est l'incarnation même de cet Orient ambigu.

★

★ ★

À la différence d'autres islamistes, Ben Laden ne traite pas directement avec les Américains. Turki sert d'interface. D'officier traitant, dit-on dans le jargon des services de renseignements. De la masse financière dégagée par Washington et les Saoudiens, une partie passe par lui afin d'alimenter la résistance. Elle transite par la banque islamique du frère de Turki.

Pour creuser des tranchées et percer des abris contre les bombardements, il apporte dans le sud de l'Afghanistan du matériel de terrassement emprunté aux entreprises de sa famille. On l'a vu, couvert de poussière, aux commandes des engins, au risque d'essuyer les tirs d'un hélicoptère en maraude. Ainsi, chez son ami Haqqani, dans les défilés de Jawar, au sud de Khost, il installe une base souterraine avec des garages couverts, des aires de stockage pour les munitions, une salle de chirurgie et des groupes électrogènes dispensant l'électricité. Pour escalader les cols du Paktya, premier saut montagneux avant d'attaquer le massif de l'Hindu Kuch, il trace des pistes en lacets où peuvent circuler les camions chargés d'armes, pour remplacer les raidillons où les chevaux peinaient.

Il n'oublie pas les consignes de Turki. À Peshawar, il ouvre une maison d'hôtes, « Bayt al Ansar », pour accueillir les Arabes venus faire le jihad. Cette base lui sert à dispatcher les recrues dans les différents maquis.

Azzam profite lui aussi des fonds libérés par les États-Unis et les services de Turki. À la même époque, il démissionne de son poste de conférencier à l'université d'Islamabad, trop loin du « front », et s'installe lui aussi à Peshawar. Il y crée sa propre structure, le « Bureau de service du jihad ». Elle diffère cependant de celle de Ben Laden. Azzam travaille sur l'idéologie.

Dans les camps d'entraînement de la résistance installés au Pakistan, il endoctrine les volontaires et les
exhorte au combat.

Il faut se méfier de certains propos. Néanmoins, en
1987, rentrant en France à la suite d'un séjour en hiver
dans les montagnes afghanes, je rencontrai dans l'avion
un jeune Tunisien vivant en France. Il sortait des camps
de la résistance situés dans la région de Jalalabad. Âgé
de 18 ou 19 ans, il avait encore du duvet sur les joues.

Il revenait dégoûté. «Il y avait un Palestinien, me dit-
il, que tout le monde appelait le cheikh. Il nous racontait que pour démolir les chars, il suffit de leur jeter un
caillou en récitant un verset du Coran. Pour les hélicoptères, il fallait lancer une poignée de poussière en
l'air. Il nous racontait des histoires de moudjahidine
morts, sortant de leurs tombes pour participer au jihad.
Il disait même avoir vu des anges combattant contre les
communistes...»

S'agissait-il d'Azzam ou d'un illuminé?

Azzam consacre surtout beaucoup de son temps à
parcourir le monde, rencontrant tout ce que la planète
compte de responsables islamistes. En France, il visite
l'UOIF (Union des organisations islamiques de France)
et la Ligue islamique mondiale. Il prend la parole au
cours de conférences en Turquie, devant les militants
islamistes du Milli Görus. En Égypte, il emprunte le
canal des Gamaa islamiya et des Frères musulmans,
avec l'approbation du pouvoir.

Dans les pays comme la Syrie, hostiles à la résistance
afghane en raison de leur alliance avec l'Union soviétique, Azzam se sert des réseaux clandestins des Frères
musulmans et des cellules terroristes palestiniennes

protégées par le pouvoir. En Algérie, par exemple, il s'appuie sur Abdallah Anass, l'archétype du propagandiste islamiste.

★

★ ★

Celui-ci est arrivé en 1984 au Pakistan. Comme nous l'avons vu, je l'ai rencontré pour la première fois* au printemps 1985. Quand, avec un convoi de camions, nous devions remonter vers Mazar-e-Charif. Il avait déjà effectué un voyage en hiver dans cette région.

Anass ne combat pas, mais parcourt les maquis pour répandre la bonne parole. Il se noue une grande complicité entre lui et Azzam, qui lui donne une de ses filles en mariage. À partir de 1992, quand éclateront les événements sanglants en Algérie, on le retrouvera membre du FIS algérien. Il appartient en réalité à la tendance proche du GIA. Tout extrémiste qu'il soit dans ses propos, il prend soin d'éviter le risque de rentrer dans son pays. Le jihad, semble-t-il penser, c'est bien, mais pour les autres. Lui préfère errer du Pakistan à la France. Pays qu'il hait pourtant. Les autorités de l'Hexagone finiront par lui interdire l'entrée sur le territoire. Comme beaucoup de ses semblables, il a choisi de s'installer à Londres… où il a ouvert un restaurant.

★

★ ★

---

* Voir chapitre 3.

En 1986, Ben Laden a 29 ans. Les énormes sommes d'argent qu'il distribue en font un homme courtisé par les Afghans. Turki, de son côté, a besoin de lui pour servir de contrepoids à l'influence d'Azzam. Lui aussi le flatte, en bon officier de renseignement. Le jeune homme commence à se croire indispensable. Il se prend à rêver de devenir émir, chef de guerre en Afghanistan.

Il dispose des moyens et des fonds nécessaires. Il ouvre alors ses propres camps et y installe des recrues arabes appelées au jihad par Azzam. Il organise ses lignes d'approvisionnement. Des militaires déserteurs d'Égypte et de Syrie entraînent ses hommes au combat.

Dans son comportement, il reste le même. Humble d'apparence, il partage les repas avec ses camarades de combat. Il prend les mêmes risques qu'eux. En avril 1986, il connaît sa première vraie bataille avec sa «légion arabe» en ligne, à Jaji, dans la province du Paktya. En l'espace de quatre ans, il va participer, aux côtés de cette légion, à cinq affrontements d'importance contre les troupes soviéto-communistes.

Aujourd'hui réfugié à Londres, le docteur Saad al-Fagih, un Saoudien vétéran de la guerre d'Afghanistan, raconte :

«Ben Laden disposait de trois ou quatre camps en territoire afghan. J'estime à 30 ou 40 000 les hommes qui s'y sont rendus pour combattre ou pour recevoir une formation militaire… À plusieurs reprises, il a failli mourir sous les tirs d'artillerie ou de roquettes…»

Il est blessé plusieurs fois, à la jambe en particulier, ce qui l'oblige, aujourd'hui encore, à utiliser une canne. Il se montre aussi dur pour lui que pour les autres.

Abdallah, un de ses combattants, raconte :

«Les hommes de Ben Laden étaient très disciplinés. Pendant la bataille de Jalalabad, en 1986, j'avais pris avec moi six d'entre eux et les avais mis en position face à l'ennemi. Ils ont combattu toute la journée. Dans la soirée, quand je suis venu les relever, ils se sont mis à hurler qu'ils voulaient rester dans leur tranchée. Le lendemain, ils étaient morts. Plus tard, Oussama m'a expliqué : il leur avait dit que cette tranchée était leur porte pour le paradis *...»

★

★ ★

À partir de 1987, la guerre entre dans une nouvelle phase. Les Américains fournissent des Stinger, des missiles antiaériens portables. La résistance harcèle les Soviétiques au sol. Ils perdent maintenant la suprématie aérienne. C'est pour eux le début de la fin.

★

★ ★

1988 voit la mort de Salem, le frère aîné de Ben Laden. Il se tue aux commandes d'un ULM au Texas. Chez les Arabes, le père ou son substitut gardent une autorité considérable sur les membres adultes de la famille. Aussi voit-on cet accident émanciper le jeune homme de la férule familiale.

---

* *The Guardian*, 23 septembre 2001.

La même année, il crée Al-Qaida, une organisation, prétend-il, destinée à traiter les dossiers des Arabes blessés ou décédés au jihad afin d'informer leur famille. En réalité, Ben Laden cherche à s'affranchir de l'autorité d'Azzam, chez lequel arrivent la plupart des volontaires.

Le vendredi 24 novembre 1989, ce dernier meurt à Peshawar avec deux de ses fils dans un attentat. Une bombe a été déclenchée à leur passage, alors qu'ils se rendaient à la mosquée pour prier.

On n'a jamais identifié les auteurs de l'attaque. Néanmoins, en 1998, la police pakistanaise arrêtera Mohamed Sadiq Howaida, un membre d'Al-Qaida impliqué dans une opération terroriste. Elle l'extradera vers les États-Unis. Devant ses juges, Howaida accusera Ben Laden d'avoir ordonné l'exécution d'Azzam. Il précisera qu'une lutte d'influence pour contrôler les Arabes avait éclaté entre les deux hommes.

Interrogé sur ce dossier au cours d'une interview réalisée en 1998 par la chaîne de télévision arabe Al-Jezira, Ben Laden démentira et accusera le Mossad, les renseignements israéliens, de l'attaque. On se demande pourquoi. Il terminera sa réponse par ces mots :

«Dieu accorde la miséricorde à Abdallah Azzam. Nous demandons à Dieu, gloire à Lui, qu'Il le reçoive en martyr avec ses deux fils Mohamed et Ibrahim et qu'Il envoie à la communauté des musulmans quelqu'un qui reprenne son flambeau...»

On voit Ben Laden rêver d'assumer cette tâche.

Mais l'histoire à nouveau s'accélère. Le 15 février 1989, les troupes soviétiques quittent l'Afghanistan. Harcelé par les pays occidentaux et musulmans sur le plan diplomatique, remis en question à l'intérieur de ses frontières par une opinion se structurant et, surtout, incapable de contrôler militairement l'Afghanistan, Moscou préfère jeter l'éponge.

Après dix ans passés à se consacrer au jihad afghan, Ben Laden rentre en Arabie Saoudite.

## CHAPITRE 6

# Les racines de la colère

L'un de ses demi-frères parle de Ben Laden en 1989, à son retour d'Afghanistan. «Oussama était devenu un héros, raconte-t-il, et le roi l'a reçu en audience privée. Les ouléma* l'invitaient à prendre la parole. Mais, au lieu de recevoir cela comme un hommage, à chaque fois, il plaidait pour le soutien des Afghans, comme si la guerre n'était pas finie. Il indisposait tout le monde...»

Dans les faits, à peine les Soviétiques se retirent-ils que, le danger reculant, les aides à l'Afghanistan s'évanouissent. Faisant fi des sentiments, la Realpolitik s'impose, en Orient comme en Occident.

Ben Laden est-il un homme de passion ou cherche-t-il des causes pour se forger une célébrité? Son comportement donne la réponse.

Bien vite, il prend son parti de cet abandon de l'Afghanistan. Il propose alors un nouveau plan, pour lancer un jihad contre le Sud-Yémen à partir du territoire saoudien. Certes, il s'agit d'organiser une guérilla, pas une guerre conventionnelle. En outre, les

---

* Ouléma : théologien musulman.

Saoud s'estiment les propriétaires légitimes de l'ancienne Arabie heureuse. Enfin, dans le Yémen divisé en deux États, le Sud subit la loi d'un régime communiste de type soviétique. Comme l'Afghanistan.

Mais ni le roi ni son entourage ne sont devenus fous. Attaquant un pays voisin et arabe, ils savent qu'ils dresseraient contre eux l'opinion internationale. Ils n'auraient aucun soutien à espérer des États-Unis. Ce jeune Ben Laden commence à leur faire peur. Par précaution, et sans l'en prévenir, les autorités décident de lui interdire de sortir du pays.

Il s'en aperçoit par hasard, en se présentant un jour à l'aéroport pour effectuer un court déplacement à l'étranger. Poliment, mais fermement, le policier lui interdit d'embarquer et garde son passeport. Furieux, le jeune homme se plaint auprès de Turki. Celui-ci le calme, prétendant les Américains à l'origine de cette interdiction. Selon lui, ces derniers craindraient son retour en Afghanistan en raison de sa popularité dans le pays. Ben Laden mord à l'hameçon. Il suffisait de le flatter.

Il s'entiche alors d'une nouvelle idée. Plusieurs mois avant l'offensive de l'Irak au Koweit, il dénonce les intentions agressives de Bagdad. Mise en garde bien fondée, celle-là, qui inquiète le pouvoir car elle met en cause sa politique de conciliation avec Saddam Hussein. Plus grave, il ne suffit plus à Ben Laden d'envoyer dans des lettres ses prédictions aux responsables du régime. Il fait des conférences publiques sur le sujet.

Mais il ne se contente pas de parler. Dans les entreprises familiales, il donne des emplois aux vétérans arabes d'Afghanistan à la recherche d'une terre d'accueil. Il procure même à certains de faux papiers, leur permettant ainsi de séjourner en Arabie Saoudite. Quant à ses familiers, personnages qui hantent sa ferme installée dans le désert, ils donnent froid dans le dos. Parmi eux, l'Égyptien Ayman al-Zawahiri.

*

* *

Né le 19 juin 1951, il a été impliqué dans l'assassinat d'Anouar el-Sadate, le chef d'État égyptien assassiné le 6 octobre 1981.

Il appartient à une famille de notables cairotes. Son père est un gynécologue réputé, son grand-père paternel occupa les fonctions de recteur de l'université islamique d'Al-Azhar, la plus réputée du monde musulman. Le père de sa mère, lui, fut président de l'université du Caire et ambassadeur d'Égypte. Al-Zawahiri, pour sa part, a été diplômé de l'université de médecine, en 1974, et a exercé comme chirurgien.

Sans doute sa place dans la société lui épargne-t-elle la sévérité du juge. Quand ses compagnons de route marchent au poteau d'exécution pour le meurtre du raïs, il bénéficie d'un non-lieu et n'écope que de trois ans de prison... pour détention illégale d'armes.

Sorti des geôles égyptiennes en 1984, il semble trouver la vie de bourgeois cairote trop fade. En 1986, il part pour Peshawar afin de soigner les blessés du jihad. Cette vocation humanitaire ne dure pas. Par l'intermédiaire d'Azzam, il fait la connaissance de Ben Laden et devient l'un de ses plus fidèles lieutenants.

Du moins est-ce là la face visible du personnage. En réalité, depuis l'université, lieu de recrutement habituel des islamistes, il appartient au Jihad islamique. Cette organisation, sorte de mouvement taliban dans sa version égyptienne, préconise l'assassinat politique pour s'emparer du pouvoir et «ré-islamiser» la société en usant de coercition.

Le chef du Jihad, Abboud al-Zamour, resté en prison, l'a chargé de transmettre les ordres à ses hommes. Il compte ainsi monter des opérations du fond de sa cellule. Mais Al-Zawahiri a de l'ambition. Il refuse de servir d'intermédiaire et s'autoproclame chef du mouvement, provoquant une scission.

Comment expliquer la fascination d'un homme de sa condition pour une vie de meurtres et d'insécurité? N'était-il pas un privilégié dans la société égyptienne?

★

★ ★

Dans le journal arabe *Ashark Al-Awsat*, Mahfouz Azzam, un avocat membre de la famille de sa mère, décrit Zawahiri comme un garçon gai et de caractère facile. Il l'affirme estimé pour ses compétences dans les milieux chirurgicaux de niveau international.

On a l'impression d'avoir affaire à Docteur Jekyll et Mister Hyde. Involontairement, le maître du barreau cairote donne la clé du mystère. «C'est un bon musulman, dit-il, il vient d'une famille d'ouléma dont les origines se confondent avec celles de l'islam...»

Qu'on le veuille ou non, l'islam est en cause. Tout croyant convaincu, et soucieux d'appliquer la religion musulmane à la lettre, peut devenir un terroriste, selon la définition de l'Occident.

La preuve? Zawahiri et Ben Laden nous la livrent.

Dans *Secret en islam*, édité par eux, et faisant partie d'une série de lettres intitulée «Vade-mecum du musulman», on lit:

«On entend par "incroyants combattants", ceux qui s'opposent à la religion d'Allah tout-puissant, par la parole ou par l'action. Le Prophète, par son exemple, nous démontre la légalité de leur assassinat... Cela découle de la parole d'Allah. "Tuer les associateurs* là où vous les trouvez, prenez-les, encerclez-les et tendez-leur des embuscades", dit le Coran dans la sourate IX, au verset 5... Le Prophète a ordonné de tuer Kaab Ben al-Achraf... car il excitait les associateurs contre les musulmans et, dans ses poèmes, le critiquait...»

Pour Al-Zawahiri, tout est clair. À ses propres yeux, il n'est pas un criminel, mais un homme pieux obéissant aux ordres de la divinité et de son prophète. Il marche dans le chemin du bien et ne tue que parce qu'il le doit. On appelle cela du fanatisme, mais un fanatisme soutenu par les textes religieux. Des textes que personne n'ose ouvertement contredire.

Pourtant, hors de la guerre, Al-Zawahiri se conduit en personne de bonne compagnie. Comme le lui commande le Coran. Pour lui, il n'y a pas contradiction, mais continuité entre sa vie de combattant et son comportement social.

---

* Les musulmans désignent sous le nom d'associateurs les polythéistes et les chrétiens adeptes du credo « Dieu en trois personnes ».

Difficile à comprendre en Occident. Car lorsqu'un tueur, communiste, nazi ou autre, recherche dans le cynisme un soutien pour tenir psychologiquement, pour résister au stress, un islamiste comme Al-Zawahiri n'en a pas besoin. À cette bonne conscience dans le meurtre, on mesure le travail à réaliser par les musulmans, pour faire entrer leur religion dans le siècle.

★

★ ★

Les Saoudiens ne vont pas aussi loin dans les questions qu'ils se posent. Ils veulent survivre. Seulement survivre.

Aussi, en août 1990, quand l'armée irakienne pénètre au Koweit, ils paniquent. Ben Laden offre alors ses services au gouvernement. Il propose de faire appel aux vétérans arabes d'Afghanistan pour protéger les frontières du pays.

Comme on sait le faire en Orient, on lui répond avec sérieux, promettant de prendre sa démarche en considération. Mais, à Riyad, on ne badine pas avec la sécurité. Le régime fait appel aux Américains. Ils font du pays leur base arrière contre l'Irak.

Pour Ben Laden, c'est un choc. Il n'y a pas beaucoup de différence, à ses yeux, entre Washington et Moscou. De plus, il reçoit la nouvelle comme un camouflet. Il est blessé dans son orgueil. Il ne supporte pas que l'Arabie Saoudite, un pays musulman, demande de l'aide aux États-Unis et méprise son propre soutien.

Dans son esprit, en Afghanistan, les forces islamiques, principalement les Arabes, ont vaincu l'une des deux superpuissances mondiales, l'Union soviétique. Comme beaucoup, il confond un retrait d'ordre tactique d'une partie des forces de Moscou et une défaite qui aurait anéanti toute sa puissance. Aussi, pour lui, l'Irak, ce petit pays, ne saurait résister bien longtemps, face à la force de moudjahidine œuvrant dans la voie de Dieu.

On comprend que Ben Laden a perdu le sens des réalités et, d'abord, la notion des rapports de forces. Tout imprégné de croyances islamiques, il pense, comme le dit le Coran, qu'il suffit à un musulman de se battre avec énergie pour vaincre. Dieu seul, selon sa conception, décide de la victoire. Il l'accorde à ceux qu'il préfère, sans nul doute lui et ses hommes.

★
★ ★

La présence de forces américaines sur le sol saoudien joue aussi le rôle de catalyseur du ressentiment de Ben Laden à l'égard du régime. Il a une raison religieuse, affirme-t-il, pour dénoncer celui-ci. Il décrète la terre du prophète Mahomet, sanctifiée selon lui, violée par cette présence militaire non musulmane et donc impure.

Pourtant, même du point de vue musulman traditionnel, cet argument ne tient pas. Seul le périmètre englobant La Mecque et Médine, les lieux saints de l'islam, est interdit d'accès aux non-musulmans.

D'autre part, quand Mahomet mourut, en 632 de l'ère chrétienne, les autorités islamiques ne contrôlaient que la moitié de la péninsule arabique. Donc, même en étendant la prohibition aux non-musulmans de tout le domaine autrefois contrôlé par le prophète de l'islam, on ne saurait, selon cette logique, leur interdire l'ensemble de l'Arabie.

Par contre, nul ne peut contester à un Saoudien le droit de revendiquer le départ des troupes américaines du royaume. Comme les Français le firent au lendemain de la Deuxième Guerre mondiale sur leur territoire en refusant les bases de l'OTAN. Mais, dans ce cadre, il ne s'agit plus que d'une prise de position nationaliste.

On voit la manipulation. Ben Laden passe une couche de vernis religieux sur une exigence à caractère nationaliste. Il donne ainsi à sa revendication la force d'un édit liturgique. « *Gott mit uns* », disaient les Allemands.

Difficile pour les ouléma et les dirigeants musulmans s'appuyant sur une légitimité coranique, comme les Saoud ou le roi du Maroc, de dénoncer l'imposture. En effet, tous, comme les islamistes, affirment qu'en islam les sphères politique et religieuse ne font qu'un. Quand, en Occident, on tend à séparer la religion de la gestion de la cité, dans le monde musulman, on prétend les confondre.

Gouvernants musulmans, ouléma et clercs autoproclamés veulent ainsi assurer leur contrôle sur la population. Leurs décisions ne sauraient être contestées, selon leurs principes, puisqu'elles découlent de la volonté de Dieu.

Mais, à ce jeu, ils risquent toujours de tomber sur plus jusqu'au-boutiste. Ils ne peuvent alors répondre en termes de logique. Car ils se sont interdit cet espace, lui préférant celui de l'irrationnel religieux.

Ben Laden et ses amis en profitent.

★

★ ★

Mêlant frustrations personnelles et convictions religieuses, la colère de Ben Laden ne connaît plus de limite. Ayant le sentiment de n'avoir été qu'une marionnette entre les mains des décideurs, il rue dans les brancards. Son animosité contre l'autorité, jusque-là occultée, a trouvé le moyen de s'exprimer. En public, désormais, il ose critiquer le régime. Pire, il cherche à constituer un mouvement d'ouléma pour rédiger des déclarations contre le pouvoir. Il menace là le cœur d'un État dont la légitimité repose sur la religion.

Résultat, en dépit de la protection dont jouit sa famille dans le royaume, un jour où il se rend en ville pour régler des affaires, la garde nationale perquisitionne dans sa ferme. Elle fouille les bâtiments et confisque des documents. En repartant, elle emmène avec elle des prisonniers : des employés et invités de Ben Laden.

Sa plainte n'a pas beaucoup d'effet. Le prince Abdallah, chargé de la sécurité, lui répond qu'il n'était pas au courant et promet de sanctionner les coupables. En attendant, Ben Laden se retrouve assigné à résidence. Il enrage. Al-Zawahiri, lui, s'inquiète. Il se sent piégé. Il faut sortir d'Arabie Saoudite, mais comment faire ? D'abord calmer son protecteur, sa seule garantie face au pouvoir. Ensuite, mentir.

★

★ ★

Dans le courant du mois d'avril 1991, le ministre de l'Intérieur, le prince Nayef, part en vacances à l'étranger. Ben Laden demande alors à l'un de ses propres frères d'intercéder pour lui auprès du vice-ministre chargé de l'intérim, le prince Ahmad ben Abdel-Aziz. Il solicite de récupérer son passeport le temps d'effectuer un voyage aller et retour au Pakistan pour régler des contrats commerciaux.

Le prince Ahmad se laisse convaincre et, le 30 avril, le jeune Saoudien s'envole pour Karachi. Ses amis, dont Al-Zawahiri, le suivent par discrétion sur un autre vol. À peine arrivé, Ben Laden envoie une lettre au prince Ahmad pour lui présenter des excuses. Un peu tard.

★

★ ★

Arrivé au Pakistan, Ben Laden file avec ses gens sur Peshawar et, de là, sans attendre, il rentre en Afghanistan et s'installe dans la région de Jalalabad.

Or, la terre afghane se trouve en pleine incertitude. Si les troupes soviétiques sont parties, comme nous l'avons vu, le gouvernement reste encore aux mains des communistes afghans sous la férule du président Najibullah, l'ancien chef des services secrets. Dans les rangs de l'ancienne résistance, par contre, les partis et les clans s'affrontent pour le contrôle de quelques arpents de terrain.

En vain, Ben Laden exhorte les uns et les autres à taire leurs querelles pour s'unir contre le pouvoir. Ils engagent ceux des Arabes restés dans le pays depuis la guerre à ne pas prendre parti.

Mais au printemps 1991, l'instabilité monte encore d'un cran. Gulbuddin Hekmatyar, leader du Hezb-i-Islami, un intégriste musulman de l'ethnie dominante, les Pachtouns, conclut une alliance avec les officiers communistes de sa tribu. Avec l'aide de ces derniers, il tente de renverser le régime. Il échoue.

Cette affaire suscite de nouvelles divisions. Dans le Sud pachtoun, trois courants s'interpénètrent : les ultras refusant tout accommodement avec les communistes, les partisans d'un accord sur une base ethnique, comme Hekmatyar, et les réseaux des partisans de Najibullah, le président.

Dans cette confusion, on ne sait plus qui est qui. Ben Laden se sent exposé. Il a raison. Vers la fin de l'année 1991, à la demande des Saoudiens, les services pakistanais décident une opération sur le sol afghan pour se saisir de sa personne.

Cependant, du temps du jihad contre les Soviétiques, le Saoudien s'est fait de nombreux amis dans l'armée d'Islamabad. À l'époque, il lui est même arrivé de partager le repas du chef de l'État, le général Zia Ul-Haq. Depuis, ce dernier est mort dans un attentat perpétré contre son avion, en 1988, mais les amitiés demeurent. Surtout, les réseaux islamistes pénètrent l'armée et les services pakistanais, jusqu'à faire nommer leurs hommes aux postes de responsabilité.

Un ami officier prévient Ben Laden du projet des autorités. Celui-ci déjoue de peu le complot, en changeant au dernier moment de résidence. Il le comprend, il ne pourra pas échapper longtemps aux tentatives de ses adversaires. Il lui faut trouver un autre refuge.

CHAPITRE 7

# Au vert
# dans le désert soudanais

En octobre 1989, à la suite d'un coup d'État militaire, le Soudan se donne un régime islamiste. Le général Omar al-Bachir prend le titre de président. Hassan al-Tourabi, un avocat et activiste islamiste, devient la caution religieuse du pouvoir et occupe le perchoir de l'Assemblée nationale. Par solidarité arabo-islamiste, au moment de la guerre du Golfe, ils placent le Soudan dans le camp des pays pro-irakiens et dénoncent l'alliance initiée par les États-Unis.

Le pays, ayant supprimé le visa d'entrée pour les ressortissants des pays de langue arabe, se transforme en refuge pour tous les islamistes en rupture de ban avec leur patrie d'origine. À commencer par les vétérans arabes de la guerre d'Afghanistan. En raison des propos subversifs qu'ils tiennent et de leur expérience militaire, peu de gouvernements ont envie de les voir revenir au bercail.

Mis à part sa qualité islamiste, le Soudan est l'un des pays les plus pauvres du monde. Le revenu moyen annuel par habitant s'élève péniblement à 2 500 francs. Le général Al-Bachir et Al-Tourabi reçoivent la demande d'installation de Ben Laden avec satisfaction. Ils le savent riche et généreux de ses deniers pour la cause islamiste.

★

★ ★

En décembre 1991, semble-t-il, le héros du jihad afghan affrète un avion. Avec sa famille et sa suite, il embarque à Jalalabad. Al-Zawahiri le suit, bien sûr, mais aussi Mohamed Atef, membre du Jihad islamique et ancien policier égyptien. Plusieurs centaines d'Arabes les escortent avec, au sens propre, armes et bagages. Il y a là de la smalah d'Abd el-Kader en mouvement, avec les cris d'enfants, les faucons de chasse, prisés des riches Orientaux, et ces inévitables tapis dont l'on charge les soutes.

Arrivé à Khartoum, commence la légende d'un Ben Laden, homme d'affaires pacifique et généreux donateur.

★

★ ★

Il s'installerait d'abord dans une caserne désaffectée au nord de la capitale. Puis, il prend possession d'une ferme située à côté d'Omdurman, métropole indigène précoloniale et ville jumelle de Khartoum, de l'autre côté du Nil.

Le fugitif n'est pas démuni financièrement. Certes, il a laissé des biens en Arabie Saoudite, mais il dispose d'argent en Suisse et dans les Émirats. De plus, pendant des années, il va jouir d'un compte ouvert au «Dar el mal al islami», la banque contrôlée par le frère de Turki. En dépit de sa proscription, le patron des services secrets saoudiens garde le contact avec lui. En outre, la fortune de Mohammed Ben Laden, le père, n'a pas été partagée en totalité. La société Binladen Brothers for Contracting and Industry, avec un chiffre d'affaires de 125 milliards de riyals (250 milliards de francs) en 1991, se place au trente-deuxième rang en Arabie Saoudite. Elle fonctionne sous un régime comparable à celui de l'indivis en France. En d'autres termes, chacun des enfants reçoit régulièrement sa part des profits. Oussama comme les autres. Il reste un membre de la famille, agir autrement à son égard, dans un environnement musulman, serait perçu comme un vol.

Néanmoins, la famille se montre très discrète à ce propos. Yeslam, le frère installé en Confédération helvétique, affirme ne plus avoir de contact avec Oussama depuis 1981. Un autre, vivant en Arabie Saoudite, se fait plus évasif. Mais nul besoin de se rencontrer pour faire parvenir de l'argent. Les banques sont faites pour cela.

★
★ ★

À peine installé au Soudan, Ben Laden se lance dans une opération d'envergure, la construction d'une route pour relier Khartoum à Port-Soudan, sur la mer Rouge. Un ouvrage de 800 kilomètres pour lequel il rapatrie d'Afghanistan les engins de terrassement utilisés pendant la guerre pour creuser des tranchées et des cavernes.

Il se fait payer par les Soudanais en monnaie locale. L'argent est immédiatement converti en produits agricoles locaux, comme le sésame et la gomme arabique. Il exporte alors ces derniers en Occident en échange de devises fortes. Pour effectuer ses différentes opérations commerciales, Ben Laden crée au moins neuf entreprises dont l'Hijrah Contracting, pour les travaux publics, la Yemen Import-Export ou la Kenya Industrial Electric. Il crée même une banque, la Al Shamal Islamic Bank. Regroupées sous l'égide d'une société mère, la Wadi Al-Aqiq, les entreprises travaillent dans le domaine minier, pour extraire des pierres précieuses, produisent des fruits et légumes, tannent les peaux de bœufs et assurent les transports routiers avec les pays frontaliers du Soudan.

Toujours en relation avec les hommes d'affaires saoudiens, Ben Laden les invite à investir sur place. Plusieurs d'entre eux, dont certains de ses frères, achètent des propriétés et se lancent dans l'agriculture industrielle. Le régime le vénère.

★<br>★ ★

Interviewé en 1999, le général Al-Bachir dira de son invité : « C'est quelqu'un de très normal et de très religieux. »

Il le reconnaît, avec lui étaient venus ses camarades de combat mais, affirme-t-il, « ils travaillaient pour la plupart dans ses entreprises et ils n'avaient pas d'autres activités...»

Ben Laden lui-même, en 1995, accordant son premier entretien à un reporter de *The Independant*, un journal britannique, tiendra ces propos*:

«Oui, j'ai aidé quelques-uns de mes camarades à venir au Soudan après la guerre.

– Combien?

– Je ne veux pas le dire. Mais ils sont tous ici à construire la route de Port-Soudan...»

Puis, un policier en civil déclare l'entrevue terminée. En somme, à l'entendre lui et ses amis, il n'est qu'un obscur businessman occupé à arrondir sa fortune. Il y a pourtant quelque chose de bizarre. La construction de la route représente un investissement important. L'État soudanais n'a pas les moyens de payer et n'a encore aujourd'hui honoré que 10 % du contrat. Une perte sèche, même pour quelqu'un supposé posséder une fortune de 300 millions de dollars. Drôle de manière de faire des affaires.

Que cache cette approche philanthropique des affaires?

---

* *The Independant*, 6 décembre 1996.

CHAPITRE 8

# Les étranges amis de Washington

La tranquillité de surface des activités de Ben Laden et de ses acolytes masque autre chose.

Début 1992, à peine arrivé au Soudan, il réunit Al-Qaida. Al-Zawahiri et Mohammed Atef sont là, avec 200 à 300 hommes venus d'Europe, des États-Unis et des pays arabes. Deux décisions stratégiques sont prises :

– attaquer les forces américaines stationnant en Arabie Saoudite, au Yémen et dans la Corne de l'Afrique, en Somalie ;

– collaborer avec les mouvements chiites, comme le Hezbollah libanais, pour lutter contre les États-Unis.

La deuxième décision passe difficilement, tant sunnites et chiites se haïssent, mais il faut séduire l'Iran, 4ᵉ producteur de pétrole et puissance militaire. En outre, Téhéran a déjà fait les premiers pas. Dès avril 1990, quelques mois après le coup d'État de Al-Bachir, des spécialistes iraniens de la sécurité sont arrivés au Soudan. Les chargements d'armes ont suivi.

★

★ ★

Cela ne suffit pas. Les maladresses de Washington renforcent encore Ben Laden. Dans le courant de l'automne 1992, les États-Unis prient le Pakistan d'expulser les vétérans arabes installés sur son territoire. Sans attendre, le Saoudien envoie l'argent nécessaire pour le transport. 480 nouveaux venus se joignent aux effectifs déjà sous ses ordres. Il dispose à nouveau d'une petite armée.

★

★ ★

Elle va trouver à s'employer en Somalie. Depuis janvier 1991 et le renversement par la force du général Siyad Barre, le chef de l'État, les factions armées somaliennes se battent entre elles. Même pour les organisations humanitaires, il devient impossible de travailler.

Le 9 décembre 1992, les États-Unis lancent l'opération «Restauration de l'espoir» pour pacifier le pays. 36 000 soldats débarquent sur les plages sous les feux… des caméras de télévision. Mais la mascarade médiatique prend des airs de provocation pour les islamistes.

★

★ ★

En réponse, le 29 décembre 1992, trois attentats sont orchestrés à Aden, au Yémen. Le premier doit se produire dans un hôtel où résident une centaine de soldats américains assurant le transit de leurs camarades vers la Somalie. Les terroristes manquent leur objectif. L'un d'eux a le bras arraché par une explosion inopinée. À l'autre bout de la ville, la deuxième bombe tue un touriste autrichien de 70 ans et blesse sa femme au visage, à l'hôtel Gold Mehur. La troisième, dissimulée dans une voiture, est découverte et désamorcée à temps. Les trois engins, équipés de minuteries, devaient sauter au même moment.

Deux des auteurs des attentats sont arrêtés. Ils avouent leurs relations avec l'Afghanistan, où ils ont reçu un entraînement militaire. La CIA dénonce une opération ordonnée, affirme-t-elle, par Ben Laden.

Pourtant, ce quasi-échec des tueurs se transforme en victoire quand, par mesure de sécurité, deux jours plus tard, la centaine de soldats américains quitte Aden. Les initiateurs de l'opération terroriste peuvent croire qu'il suffit de faire peur à Washington pour obtenir ce qu'ils veulent.

★<br>★ ★

Cependant, l'affaire n'émeut pas. Le Yémen est loin et, en Occident, en pleines fêtes de fin d'année, on a d'autres sujets de préoccupation que Ben Laden. Un personnage dont la rue ignore même le nom.

★<br>★ ★

Lui ne s'endort pas. En 1992, Mohamed Atef, devenu responsable des opérations militaires d'Al-Qaida, effectue plusieurs séjours à Mogadiscio, capitale de la Somalie. Au printemps 1993, un autre membre de l'organisation, Sayf al-Adel, le rejoint avec des instructeurs. Ils entraînent les hommes du général Aïdid, un chef de faction opposé à l'intervention des États-Unis.

Les 3 et 4 octobre 1993, les troupes américaines effectuent une opération de police contre les positions d'Aïdid. Ils font face à une forte résistance. Dix-huit soldats tombent. Deux de leurs hélicoptères sont abattus. À la télévision, on voit les cadavres des militaires américains mutilés et traînés derrière des véhicules.

Là encore, la CIA accuse Ben Laden. Puis, répétant l'erreur commise à Aden fin 1993, Washington évacue ses troupes. Une fois de plus, l'Amérique montre son point faible : elle a peur de perdre des hommes au combat.

Pire, l'armée américaine se ridiculise avec l'histoire d'Hussein.

Hussein est né en Somalie vers 1961. À l'âge de 14 ans, il immigre aux États-Unis avec sa mère et obtient la nationalité américaine. En 1987, il s'engage dans les Marines. Fin 1992, l'Oncle Sam l'envoie comme traducteur dans son pays natal, pour accompagner les troupes de l'opération «Restauration de l'espoir». Personne n'a à se plaindre de ce garçon dévoué et discret.

Mais, en 1993, coup de tonnerre. Ses officiers découvrent que Hussein n'est pas un anonyme, mais l'un des fils du général Aïdid. Le chef de la faction qui a tué leurs soldats. Le commandement le renvoie immédiatement aux États-Unis. Cependant, en 1995, grisé par l'odeur de la poudre, il rejoint son père en Somalie. En août 1996, à la mort de ce dernier, il lui succède. À sa place, il continue d'entretenir des relations ambiguës avec les réseaux islamistes.

★
★ ★

Les Américains n'ont pas la main heureuse avec leurs recrues. Témoin cette autre tragédie, à l'origine d'une première attaque, en février 1993, contre le World Trade Center de New York.

★
★ ★

Né en 1939 dans une famille pauvre du delta du Nil, Omar Abdel Rahmane est frappé de cécité à l'âge de 10 mois. Puisqu'il ne peut pas lire, il apprend le Coran par cœur. Puis il se lance dans la théologie et décroche son doctorat en 1965. Son avenir est tout tracé, il sera imam de mosquée. Un imam de choc.

On l'appelle désormais Cheikh Omar. L'autorité religieuse égyptienne l'envoie dans un village du Fayoum, Fidimin, à une centaine de kilomètres au sud-ouest du Caire. La moitié de la population est chrétienne.

Que lui importe, aux dépens de celle-ci, il fait de l'endroit un fief islamiste. En même temps, il se taille une réputation de défenseur de l'islam. En 1970, à la mort de Nasser, il appelle la population à ne «pas prier pour son âme», le considérant comme un ennemi de la religion de Mahomet. Il purge huit mois de prison.

Mais l'Égypte est un pays de confusion. Comme en Arabie Saoudite, on prétend lutter contre l'islamisme, mais on le laisse répandre ses principes. Sortant des geôles de l'État, Cheikh Omar se retrouve imam à Minieh, en Haute-Égypte.

Puis, à partir de 1973, pendant trois ans, il enseigne la théologie à la faculté d'Assiout. Preuve de l'aménité du pouvoir à son égard. Pourtant, il tient à la mosquée des prêches incendiaires. Résultat de ses efforts et de ceux de ses amis, la région échappe partiellement au contrôle de l'État. Encore aujourd'hui, le ministère des Affaires étrangères du Canada en déconseille la visite à ses ressortissants.

Cheikh Omar part alors en Arabie Saoudite. En dépit de ses positions extrémistes, il enseigne jusqu'en 1980 à la faculté de théologie de Riyad. À son retour en Égypte, deux organisations terroristes, les Gamaa et le Jihad islamique, le choisissent comme guide spirituel. En 1982, les autorités s'inquiètent de son influence et en font l'accusé numéro un dans le procès de l'assassinat de Sadate. Elles le libèrent deux ans plus tard, pour «insuffisance de preuves».

On voit la répugnance des pouvoirs musulmans à condamner les hommes de religion inspirateurs de crimes. Et pour cause, car il suffit de citer un verset du Coran pour appeler à la violence. Nul responsable politique n'oserait s'y opposer car, aux yeux de tous, il passerait pour un ennemi de l'islam. Faire de la religion de Mahomet celle de l'État revient à s'enfermer dans un piège.

Alors, dans le monde musulman, et nous y tendons aujourd'hui en Occident, on se contente d'arrêter les acteurs de la violence islamiste. Non leurs instigateurs. Autrement dit, on s'en prend aux conséquences, non aux causes, les prédicateurs.

En tant que tel, on mesure la dangerosité du cheikh Omar. Dans les années 70, il était allé jusqu'à soutenir par une fatwa (avis juridico-religieux) «le vol armé en cas de besoin contre les chrétiens mécréants et l'État impie». Dans un pays, l'Égypte, où 10 % de la population, les coptes, confessent la religion chrétienne!

Pourtant, en dépit de ces aléas, à la fin de 1984, la CIA fait appel à lui pour «mobiliser les jeunes musulmans et les encourager à partir combattre en Afghanistan». Nous tiendrons ces propos de la bouche de Hassan Tourabi, quand il présidera l'Assemblée nationale du Soudan.

Mais l'histoire continue. Insupportant le pouvoir égyptien par ses attaques verbales contre le régime, un crime aux yeux de ce dernier, Cheikh Omar se retrouve à plusieurs reprises en prison. Privé de son passeport par les autorités, en 1989, il obtient sa restitution en prétendant se rendre en pèlerinage à La Mecque. Il s'envole alors pour le Soudan. Là, il retrouve Al-Zawahiri et Atef, ses compatriotes et, comme nous le savons, dirigeants du Jihad islamique. Il rencontre aussi Ben Laden.

Que décident ces hommes? Jusqu'ici, le cheikh limitait ses ambitions à la terre de Pharaon. Le Saoudien parvient à le convaincre de s'en prendre aux États-Unis et à Israël «pour les punir de leur soutien au *taghout*», l'oppresseur selon la terminologie islamiste. Pour le reste, nous ne connaissons que l'enchaînement des événements.

★<br>★ ★

En avril 1990, Cheikh Omar demande un permis de séjour aux États-Unis auprès de l'ambassade américaine de Khartoum. Surprise, si sourcilleux avec d'autres, Washington le lui accorde. Plus tard, les officiels de l'Oncle Sam jureront leurs grands dieux que leur administration a commis une erreur.

Un mois plus tard, il s'installe à Jersey City, sur la côte Est, face à New York et aux tours jumelles. Fort à propos, il épouse une Afro-Américaine. Suite à cette union, et conformément à la loi, il reçoit la «carte verte», le permis de résidence aux États-Unis. Homme de religion, il devient l'imam de la mosquée de Jersey City. Ses prêches attirent à lui des musulmans de Brooklyn. Au fil des mois, sa réputation va grandissant.

Fin 1992, première alerte. Au mois d'octobre, un Britannique visitant la Haute-Égypte est assassiné. Le 1er novembre, une dizaine de touristes circulant en minibus dans la même région sont blessés dans un attentat. Cheikh Omar se déclare en faveur de ces attaques.

Les autorités du Caire s'alarment. Le pays n'a pas de pétrole, mais des pyramides. S'en prendre aux touristes, c'est le toucher au portefeuille. Apparemment mieux informé que le FBI sur ce qui se passe aux États-Unis, le ministre égyptien de l'Intérieur «s'étonne» des propos de l'exilé auprès de l'ambassade américaine. Quelques semaines plus tard, la police de l'État du New Jersey se saisit de l'affaire. Le cheikh Omar, découvre-t-elle, est déjà marié en Égypte. Pour cause de polygamie, ses épousailles avec sa dulcinée afro-américaine sont donc caduques. Son permis de séjour se voit annulé. Mais la procédure d'expulsion traîne en longueur et le bon cheikh, sans doute au nom des services rendus pendant la guerre d'Afghanistan, demeure en Amérique. Pourtant, on pouvait éviter le drame de peu...

★

★ ★

Cheikh Omar à la lèvre lippue et la barbe broussailleuse. Peu soigné de sa personne, portant des djellabas en plein New York comme par défi, il a néanmoins quelque chose de fascinant. Quand il prêche, ses mem - bres semblent vivre une vie propre. De plus, en raison de sa cécité, ses yeux, occultés par des lunettes noires, ont l'air de chercher la vérité dans un au-delà insondable. Ses mots, eux, tombent comme des couperets, se succédant à la vitesse d'une arme à répétition. Cet homme ne parle pas, il tire...

Et que dit-il, en plein territoire américain ? Il invite les musulmans «à conquérir la terre des infidèles pour la purifier», à imposer «partout la loi d'Allah et à nettoyer le monde de la pourriture». À coup de versets du Coran, il prône le jihad. Il ne se contente pas de ces paroles déjà redoutables, il passe à l'acte.

★

★ ★

Dans l'auditoire, quelques-uns l'écoutent avec plus d'attention que les autres. On l'imagine guettant réactions et réflexions, les mémorisant avec les inflexions de la voix pour en reconnaître les auteurs. Se servant de toutes ses ressources d'aveugle, transformant son infirmité en force. Puis, il provoque des séances de discussion en cercles plus restreints. Apparemment perdu dans une rêverie intérieure, il se fait presque oublier. Mais, l'oreille aux aguets, il ne manque pas une phrase. Puis, avec l'aide de son garde du corps soudanais, Siddig Ibrahim Siddig Ali, surnommé Ali, il sélectionne les plus utiles.

Il retient d'abord Nidal Ayad, pièce maîtresse de son plan. Ingénieur chimiste d'origine palestinienne, ce dernier a reçu son diplôme de l'université de Rutgers, dans le New Jersey. Il s'est fait embaucher à la Allied-Signal Incorporated, une société travaillant pour le Pentagone. Aux États-Unis depuis 1989, il a obtenu la nationalité américaine en 1991. Né au Koweït, il a fait venir sa famille avec lui. Quelqu'un d'intégré, qui, à priori, n'a pas de raison d'en vouloir à l'Amérique. Tout le monde, du reste, vante sa discrétion et sa courtoisie.

Pour assister cette recrue de choix, Cheikh Omar désigne Mohamed Salameh. Palestinien, lui aussi, mais porteur d'un passeport jordanien, il est entré aux États-Unis en 1988. Son visa de touriste est expiré depuis plusieurs années maintenant. Ils habitent tous deux à Maplewood, dans la banlieue de New York. Pour le montage de l'attentat, ils ouvrent un compte en banque en commun et se servent d'une carte de crédit au nom de Nidal.

Cheikh Omar fixe les objectifs. Il veut détruire l'immeuble des Nations unies, le pont George-Washington, les tunnels reliant la presqu'île de Manhattan au New Jersey et un bâtiment du FBI. Le tout dans New York. Il envisage aussi d'enlever l'ancien président Richard Nixon, Henry Kissinger et le raïs égyptien Hosni Moubarak.

L'entraînement commence. Sous la conduite d'Ali, le garde du corps, plusieurs séances de tir ont lieu dans la campagne à une vingtaine de kilomètres de la ville. Enfin, pour réaliser leurs plans, les conjurés louent un local, afin de stocker des produits chimiques et du matériel de laboratoire. Ils achètent deux tonnes d'engrais azoté, de l'acide sulfurique, de l'acide nitrique et du cyanure de sodium.

Le grand public l'ignore, mais de nombreux produits, disponibles sur le marché, peuvent entrer dans la composition des explosifs. Parmi eux, des engrais, des insecticides, des vernis ou même des produits d'épicerie. Mais, si Ayad a reçu une formation de chimiste, il lui manque la connaissance une domaine particulier de la pyrotechnie. Cheikh Omar fait alors appel à Ben Laden et à ses amis de Al-Qaida.

Début septembre 1992, un homme de taille moyenne et de type moyen-oriental se présente devant la police des frontières à l'aéroport John-Fitzgerald-Kennedy de New York. Le policier passe le passeport au détecteur. Il s'agit d'un faux. L'individu s'appelle Ahmad Ajaj. Il est immédiatement arrêté. Dans ses bagages, la police découvre des manuels et des cassettes vidéo. Ceux-ci décrivent la fabrication artisanale du TNT, de la nitroglycérine et autres explosifs.

Demi-réussite pour les services de sécurité américains. Ils ne le savent pas, mais Ahmad Ajaj a un compagnon de voyage. Grand, dépassant le mètre quatre-vingts, le visage en lame de couteau, il regarde son camarade disparaître les mains menottées. Il voyage sous l'identité de Ramzi Youssef. C'est un Pakistanais expert en explosifs. Rompu à la clandestinité, il ne réagit pas. À son tour il tente sa chance. Il n'a pas de visa en règle. Les autorités le prient de rembarquer pour sa destination d'origine.

★

★  ★

Sale coup pour Cheikh Omar et ses complices. Ils doivent se débrouiller avec les moyens du bord. Ils se lancent dans la fabrication de nitroglycérine. Ils obtiennent un produit brun, instable et dangereux. Ils préfèrent, pour plus de commodité, se rabattre sur l'engrais azoté, facile à se procurer. Fiers de leurs exploits à venir, ils réalisent plusieurs films vidéo de leurs travaux de chimiste.

Puis, Mohamed s'occupe, avec Nidal, de trouver une fourgonnette. Ils choisissent, pour son volume de transport, un Ford modèle F-350, qu'ils louent auprès de la société Ryder Rental Agency, basée à Jersey City.

★

★ ★

Le FBI finit par s'intéresser aux activités de Cheikh Omar. Au début du mois de février 1993, les Fédéraux le mettent sur écoute téléphonique. L'affaire va-t-elle capoter? Ramzi Youssef, de son côté, tente à nouveau sa chance. Il parvient à franchir la frontière américaine à la barbe de la police. Il participe aux derniers préparatifs de l'attentat, puis il disparaît à nouveau dans la nature, au Pakistan semble-t-il. Enfin, le 25 février, Mohamed se rend à l'agence de location de voitures et déclare le Ford volé. Avec insistance, il réclame la caution versée quelques jours plus tôt. Le FBI n'a rien détecté de suspect.

Le 26 au matin, la bande de terroristes charge 600 kilos d'explosif fabriqué à partir de l'engrais azoté dans la fourgonnette. Elle ajoute trois bouteilles d'hydrogène. Eyad Ismaïl, un complice jordanien, conduit le véhicule. Il le place au pied du pilier K31/8, au deuxième étage du parking souterrain de la tour nord du World Trade Center. Puis, avec son briquet, il allume une mèche lente, reliée à un détonateur. Il a vingt minutes pour quitter le bâtiment. Nerveux, il prend l'escalier et court jusqu'à l'air libre.

Il marche d'un pas rapide le long de West Street, remontant Manhattan en direction du pont George-Washington. À 12 h 18, arrivé à la hauteur du premier tunnel conduisant au New Jersey, il entend l'explosion. Elle fait trembler le sol. S'arrête un passant, un homme d'une cinquantaine d'années, le col du manteau relevé

93

sur le cou. Il regarde, inquiet, dans la direction des tours. Eyad continue sa marche. Une ambulance le croise, sirène hurlante. Puis une voiture de police. Son cœur bat la chamade. De joie.

★

★ ★

La police se met en piste. Le 4 mars, elle arrête Mohammed Salameh. Il avait loué le Ford à son nom et tellement insisté pour récupérer sa caution que l'agence avait fini par le signaler. Le 10, Nidal Ayad, le chimiste, tombe à son tour. Neuf mois plus tard, les enquêteurs finissent par se convaincre du rôle d'inspirateur du complot de Cheikh Omar et l'incarcèrent avec son garde du corps. Ses défenseurs auront beau le présenter comme une victime, mettre en avant son diabète et son cœur fragile, ils auront du mal à apitoyer le jury.

L'affaire semble bouclée. Pourtant, Ramzi Youssef, le maître artificier, court toujours. Avec six morts et un millier de blessés, il n'est pas satisfait. Il aurait voulu voir la tour s'écrouler. Des informations non confirmées disent qu'il aurait échoué à vaporiser du cyanure sur Manhattan en déclenchant l'explosion. Peu crédible à première vue. « La prochaine fois, se dit-il en tout cas, il faudra mieux faire. »

★

★ ★

Mais qui est Ramzi Youssef ? On le dit né dans le Makran, une région à cheval entre l'Iran et le Pakistan, dont la prétention à l'indépendance fut déçue par le colonisateur britannique. Certains natifs de cette partie du monde haïssent l'Occident pour cette seule raison. Est-ce bien celle de Ramzi? Est-il même né là? Pour les services de renseignements indiens, il vit le jour en 1960, pour le département d'État américain, le 27 avril 1967 ou le 20 mai 1968. Jamais homme n'aura eu une identité plus floue. Ses empreintes digitales, retrouvées sur le matériel de l'attentat du World Trade Center, sont par contre sans erreur possible les siennes. Il aurait grandi au Koweit où il se serait lié aux groupes palestiniens. Puis, nous en sommes sûrs, il s'est rendu dans les camps d'entraînement d'Afghanistan, mais seulement après la guerre contre les Soviétiques. Il a aussi poursuivi des études d'électronique et de chimie, semble-t-il en Grande-Bretagne.

Les explosifs sont sa passion. Vendant déjà ses services, à la fin des années 80, il s'est blessé à l'œil droit en préparant une bombe à Karachi (Pakistan). En septembre 1989, un homme d'affaires saoudien basé dans la ville a financé son traitement, dans un hôpital de la ville spécialisé dans les problèmes ophtalmiques. Entre autres maîtres, il aurait servi l'Irak de Saddam Hussein. Pour Laurie Mylroie, une journaliste américaine, les services de Saddam lui auraient même fabriqué une fausse identité.

Après l'attaque contre le World Trade Center en 1993, on retrouve la trace de Ramzi en 1995 aux Philippines. Il projette alors de faire exploser en l'air, en même temps, onze avions avec leurs passagers. Il veut atteindre le record de 4 000 morts dans un même attentat.

Pour cela, il travaille à la fabrication d'un explosif liquide capable de tromper les détecteurs en place dans les aéroports. Il fait un essai sur un avion philippin, causant la mort d'une personne.

On le soupçonne de bénéficier de la protection des islamistes du groupe Abou Sayyaf, des extrémistes musulmans du sud de l'archipel, coupables de plusieurs enlèvements de touristes occidentaux. Pour les fonds, les réseaux de Ben Laden pourvoiraient à ses besoins.

À l'époque, il prépare aussi une attaque contre le pape, qui doit effectuer une visite aux Philippines. Mais, confectionnant des explosifs dans un appartement de Manille, il met le feu à l'endroit et doit s'enfuir précipitamment. Il laisse derrière lui son ordinateur, avec des informations techniques et des adresses. Grâce à ces dernières, le 7 février 1995, on parviendra à l'arrêter au Pakistan.

Extradé vers les États-Unis, il est condamné une première fois pour sa tentative avortée d'attaque contre les avions de ligne. Une seconde fois, le 8 janvier 1998, il se voit bouclé à vie pour l'attentat de 1993 contre le World Trade Center.

Devant la cour, il déclare avec véhémence :

« Oui, je suis un terroriste, et j'en suis fier... Je soutiendrai le terrorisme aussi longtemps qu'il est dirigé contre les États-Unis... Vous êtes pires que des terroristes. Vous êtes des bouchers, des menteurs et des hypocrites. »

★
★ ★

Dans sa bouche, on n'entend pas les habituelles références de l'extrémisme musulman. Aux Philippines, du reste, il fréquentait les filles de mœurs libres et les night-clubs. Ce n'est pas le profil d'un islamiste. On pourrait se contenter de le ranger dans la catégorie des mercenaires appâtés par le gain. Mais ses compétences lui permettraient de vivre, au moins aussi bien, dans la plupart des pays du monde. Son discours, cette haine jetée à la face du jury, donne à réfléchir.

Tout être humain a une identité ethno-culturelle. Elle le rattache à un groupe, à un ou des sous-groupes. On peut être Français, Breton et catholique, ou musulman, Pakistanais et Baloutche, par exemple. Quand l'individu croit l'un des groupes auxquels il s'identifie attaqué ou brimé, il se sent lui-même agressé. C'est un réflexe tribal. Or, en tant qu'ensemble cohérent, on le voit chaque jour à la télévision, les musulmans s'estiment écrasés par la supériorité technologique et politique de l'Occident.

Sur certains plans, il leur suffirait de suivre la voie choisie par le Japon : prendre à l'Occident la technologie et conserver leur propre culture. Mais, jusqu'ici, les tentatives dans ce sens ont échoué.

Cependant, il y a des faits tangibles, alimentant la haine. Depuis plus de dix ans, nous réduisons l'Irak à la famine, sous prétexte que le régime de Saddam Hussein ne nous plaît pas. Dans notre traitement du conflit israélo-palestinien, par ailleurs, nous favorisons souvent l'État hébreu aux dépens de ses adversaires.

Ajoutons à cela la tendance de tous les peuples à se voir victimes et à percevoir l'autre comme l'agresseur.

Mais, dans le monde arabo-musulman, cette inclination prend des proportions énormes.

Exemples récurrents dans le discours des musulmans se référant au passé, ils présentent le colonialisme occidental et les croisades comme d'insupportables attaques. Mais ils trouvent normale la soumission par leurs armes d'un empire allant de la Chine à l'Espagne au VII$^e$ siècle. Ils vont jusqu'à nier la destruction de civilisations par leurs guerriers et l'éradication de langues comme l'araméen, le copte ou le berbère par la force.

Cette manière de percevoir la réalité mérite un néologisme, «victimisation». Les musulmans ne sont pas les seuls à se «victimiser» ainsi, mais, chez eux, cela concerne un milliard d'individus. Or, surtout dans l'univers arabe, la plupart des hommes politiques et des intellectuels entretiennent leur peuple dans cet état d'esprit. Il en découle un syndrome de la persécution et une obsession du complot venant de l'étranger.

À ceux qui en doutent, nous conseillons d'écouter les prêches des imams et la lecture de la presse en arabe.

La religion musulmane, dans son interprétation sectaire et guerrière, ne sert souvent que d'excuse aux pulsions de haine. Ramzi Youssef n'en avait même pas besoin. Il hait l'Amérique, à l'état brut, sans décorum.

# CHAPITRE 9

# L'escalade

Vieux vapeur à roue datant de l'époque coloniale, le bateau peine en remontant les eaux du Nil. À bord, c'est la fête. Verre de jus de fruit ou de soda à la main, on bavarde, contemplant les envols de flamants roses. On voit surtout des hommes, beaucoup de turbans et peu de vêtements européens.

Nous sommes le 29 mars 1995, à quelques kilomètres de Khartoum. Hassan al-Tourabi, maître de l'islam soudanais et président de l'Assemblée nationale, a convoqué la troisième « Conférence populaire, arabe et islamique ».

Dans une coursive, enfoncé dans les coussins d'un divan, il triomphe. Tout sourire dans sa robe immaculée, le turban blanc ceignant noblement son front noir, ses yeux pétillent de ruse. Autour de lui, un cénacle de journalistes occidentaux boit ses paroles. Car l'homme est un séducteur. Il a l'art, par une boutade ou un mot aimable, de convaincre le plus méfiant. Pourtant, quelques vieux reporters, en retrait, l'observent avec amusement, comme s'ils goûtaient sa prestation d'acteur sans se laisser prendre à son jeu.

Bondissant hors de son siège, Al-Tourabi semble alors voler d'un bout à l'autre du bateau. Il serre les mains, donne l'accolade à l'orientale ou s'incline avec respect. Et là, on a un haut-le-corps. Les gens auprès desquels il s'empresse appartiennent aux mouvements islamistes les plus radicaux. Certains même à des groupes terroristes.

On voit Fathi Chikaki, le chef du Jihad islamique palestinien. Il sera assassiné à Malte, par les services israéliens, le 26 octobre 1995.

Anouar Haddam, faux membre du FIS algérien et vrai propagandiste en Occident des assassins du GIA.

Naïm Qassem, du Hezbollah libanais, le parti responsable des attentats suicides, qui, au Liban, tuèrent 241 Marines américains et 88 parachutistes français, en octobre 1983.

Le représentant de Louis Farrakhan, chef d'un parti islamiste afro-américain obsédé par la création d'un État dont la citoyenneté serait réservée aux seuls Noirs des États-Unis.

Adel Hussein, marxiste égyptien, passé à l'islamisme car «il s'agit du même combat pour le prolétariat et contre les privilèges».

Mustapha Macchour, leader des Frères musulmans, mouvement qui servit de matrice à toutes les organisations islamistes du monde, etc.

Ces jours-là, à Khartoum, le who's who de l'islamo-terrorisme se livre à la presse. La présence de journalistes occidentaux en devient suspecte. N'auraient-ils pas pour première utilité d'éviter par leur présence une attaque des États-Unis?

★

★ ★

Le lendemain, et jusqu'au 2 avril, face à deux ou trois mille invités, la grand-messe de l'islam extrémiste se déroule dans le «Palais de l'amitié». Une construction de prestige bâtie par des entrepreneurs occidentaux. Distribuée dans les couloirs, une plaquette de propagande donne le ton: «... L'islam est considéré comme un danger émergeant. Avec la complicité de certains leaders arabes, nos ennemis conspirent pour se débarrasser de l'avant-garde du jihad et des symboles de la résistance. Ils ont suspendu le versement des fonds de soutien et les investissements destinés aux pays musulmans. Ils veulent ainsi empêcher la concurrence entre la culture islamique et celle de l'Occident. Car cette dernière ne peut soutenir la comparaison...»

Dominant la salle du haut de la tribune, Al-Tourabi ne donne pas dans la modération. Il décrit de larges cercles avec ses manches, comme se livrant à la répétition d'un cérémonial antique puis, d'une voix pleine de solennité, déclame:

«... Cette conférence est la première surgie au cours des siècles pour parvenir à l'unité des musulmans...» Diantre, on mesure l'importance de l'événement!

Puis, il continue:

«L'ONU est devenue une arme contre les pays musulmans... en Occident, il n'y a pas place pour la tolérance... les minorités musulmanes doivent y jouir du droit à l'éducation, de la liberté de culte et de l'égalité sans discrimination...»

Nous sommes bien dans le cadre de la paranoïa, cultivée et transformée en arme de guerre. Les terroristes assis dans la salle trouvent là toutes les justifications à leurs crimes. L'un d'eux plus que d'autres encore.

★

★ ★

À l'entrée du Palais de l'amitié, le service de sécurité fouille tous les participants. Même un canif ne passe pas. Le deuxième jour, je crois, un personnage de haute taille passe devant moi, escorté par deux hommes. Vêtu à la saoudienne, il porte un keffieh à damier rouge et blanc. La barbe noire, le regard chargé d'humilité, il se présente devant le contrôle.

Talkie-walkie en main et pistolet passé dans la ceinture, un responsable arrive en courant et ordonne de laisser passer le mystérieux individu. Entrant quelques minutes après lui, je le perds de vue.

Un Égyptien, connu au Caire deux ans plus tôt, assiste à la conférence. Il se dit journaliste. Je le soupçonne de travailler pour les renseignements de son pays. Nous avions eu un bon contact lors de notre première rencontre. À nouveau, nous avons sympathisé.

« Vous avez vu qui est là ? m'interpelle-t-il en m'apercevant.

– Qui ? Il y a beaucoup de monde.

– Regardez, là-bas, dans le coin, c'est Ben Laden... »

Je reconnais l'inconnu au keffieh. Je lui parlerai, mais il refusera de me répondre. Le plus drôle, la cinquantaine de journalistes présents le cherche partout mais, apparemment, personne ne l'a jamais rencontré parmi nous.

★

★ ★

J'aurai quelques années plus tard l'explication de tout cela. Ben Laden avait financé la conférence organisée par Al-Tourabi. Il voulait s'exprimer devant l'assemblée au nom d'un fantomatique «front de l'opposition saoudienne». Or, les Américains réclamaient son expulsion du Soudan. Al-Tourabi a eu peur de leur réaction s'il laissait intervenir publiquement son sponsor.

Après des négociations, un homme prendra la parole à sa place : Nihad Ghadry, un Libanais qui dit avoir la double nationalité saoudienne. Il n'aura servi qu'à brouiller les pistes.

★

★ ★

Tout cet activisme inquiète les États-Unis. Mais ils n'ont que deux moyens de pression sur Ben Laden : le pays où il réside et celui d'où il vient. La première, l'Arabie Saoudite s'est soumise aux exigences américaines.

Dès 1992, elle gèle les avoirs conservés au nom de Ben Laden dans les frontières de la monarchie. Un coup d'épée dans l'eau, sa famille continuant de lui verser ses dividendes sur les revenus familiaux. Les Américains ne sont pas dupes. Ils veulent surtout voir les Saoudiens prendre le contrôle physique de leur ressortissant.

Vers le mois de novembre 1993, le roi ordonne une nouvelle démarche. Un émissaire se rend au Soudan et obtient de rencontrer Ben Laden. L'envoyé du monarque se souvient. Dans l'un des salons climatisés de sa maison du quartier aisé de Khartoum, le fugitif est assis nonchalamment dans un fauteuil. Ses doigts jouent avec un «mashaba», sorte de chapelet musulman. Dans sa barbe, on remarque déjà quelques fils blancs. Autour d'eux, des armes et deux gardes du corps apparemment d'origine maghrébine.

Ben Laden a l'air lointain, comme si cette visite ne le concernait pas. Le silence pesant, il finit, d'un geste de la main, par faire signe à son visiteur de parler.

«Le roi espère que vous vous portez bien et souhaite vous voir rentrer dans la patrie du Prophète, prières et paix de Dieu sur Lui...»

L'autre hoche pensivement la tête puis, comme s'il avait pesé chaque mot, répond:

«Ce n'est pas dans mon intention et, je crois, pour longtemps.»

L'envoyé sent la transpiration se glacer sur son dos. Il reprend:

«Le roi vous rappelle l'obligation d'obéissance à laquelle vous êtes soumis en tant que sujet saoudien...»

La main gauche de Ben Laden se crispe une fraction de seconde sur l'accoudoir de son siège. Mais il ne dit mot. D'un mouvement retenu, il appelle l'un de ses gardes du corps et lui glisse quelques mots à l'oreille. Celui-ci revient une ou deux minutes plus tard muni d'un carnet aux armes de l'Arabie Saoudite.

Ben Laden se saisit du document et le jette au visage de son interlocuteur:

«Voilà ce que je fais de mon livret de famille. Ne me traitez pas comme l'un de vos serviteurs. Reprenez-le s'il signifie une quelconque servitude...»

★

★ ★

En apprenant la scène, le roi blêmit. Il en fait informer les Ben Laden et les avertit : « Nous allons devoir prendre des mesures graves. » Nul n'oserait dire le contraire. Quelques mois plus tard, le 9 avril 1994, fort de l'assentiment obligé du clan, il décrète la déchéance de nationalité d'Oussama.

Ce dernier entre en fureur, rédige un communiqué pour dénoncer la décision du roi et crée un organisme d'opposition, le Comité de conseil et de réforme. Celui-ci prendra ensuite le nom de Comité de conseil et de défense des droits légaux, pour lequel il ouvrira un bureau à Londres. Il confiera la direction de celui-ci au professeur Khaled al-Fawaz.

★

★ ★

La colère et la réaction de Ben Laden sont révélatrices de son caractère.

Il a insulté le roi en jetant le livret de famille au visage de son envoyé. Il le sait, par ce geste il se pose en alter ego de son souverain. Une telle conduite se comprendrait de la part d'un Occidental épris de principes d'égalité. Mais Ben Laden prétend s'inscrire dans la culture orientale, faite de soumission et de respect de la hiérarchie. L'orgueil transparaît sous son humilité de façade.

Or, cet orgueil le dévore, au point de lui faire perdre la raison.

Prévisible, la «réponse-punition» du monarque saoudien le frappe comme un boomerang revenant à son envoyeur. Ben Laden, lui, ne voit que la nouvelle blessure infligée à son amour-propre. Il nie sa part de responsabilité, sa provocation. Puis, d'instinct, il réplique par un nouveau coup, plus dur que le précédent. Ainsi se met en place l'escalade.

Dans cet état d'esprit, il s'interdit tout compromis. Comme disait son maître, Abdallah Azzam : «Seuls le jihad et le fusil. Aucune négociation, aucune conférence et aucun dialogue...» Ben Laden s'est condamné à une fin brutale. Seule elle satisfera son ego surdimensionné. Il n'est pas un conquérant, comme Mahomet, mais un suicidaire. Il appelle cela le martyr. Pourtant, prétendant à la quête de l'éternel, il se dupe lui-même. Car ce qu'il veut, c'est être au-dessus des hommes. Veut-il être Dieu?

Tout à sa vision nihiliste de la réalité, Ben Laden a perdu le contrôle du jeu puisque, par orgueil, il réagit, au lieu d'agir. Ceux qui intégreront cela, dans la guerre qu'ils lui livrent, gagneront, car ils pourront le pousser à la faute et le piéger.

★

★ ★

Après le pays d'où il vient, les Américains exercent leurs pressions sur le pays où il réside, le Soudan.

Celui-ci n'est pas un exemple. Dans le sud, le pouvoir musulman livre le jihad contre la majorité chrétienne et animiste. Les gens du nord en majorité musulmans, pour la plupart des métisses d'Arabes, réduisent encore

en esclavage les populations de peau plus sombre. En
outre, le gouvernement islamiste héberge tout ce que
compte le monde musulman d'extrémistes.

Le 31 juillet 1993, un émissaire du gouvernement
soudanais se rend à Washington pour s'entendre dire
«les cinq règles de bonne conduite» auxquelles les
Américains veulent voir Khartoum se soumettre. Parmi
elles, la «fermeture des bureaux de toutes les organisations subversives, ainsi que de toutes leurs structures
d'accueil, de soutien et de transit» au Soudan.

Les États-Unis dénombrent dans le pays une douzaine
de camps d'entraînement militaire utilisés, affirment-ils,
par des groupes islamistes étrangers. Le 17 août, faute
d'une réponse leur convenant, ils inscrivent le Soudan
sur la liste des États soutenant le terrorisme. Il ne pourra
plus recevoir d'aide financière américaine, à part celle
liée à des secours humanitaires.

En janvier 1994, la capitale américaine laisse filtrer
par la CIA la vraie cause de son animosité. Dans le
Nord soudanais, selon elle, Ben Laden finance trois
camps militaires. S'y entraînent les terroristes d'une
demi-douzaine de pays. Début 1995, elle affirme que
le Saoudien installe des positions militaires dans le
nord du Yémen. À la frontière de l'Arabie Saoudite.

L'année commence décidément mal pour Ben Laden.
À la même époque, Tayyib al-Madani, l'un de ses
hommes de confiance dans les affaires, s'envole pour
Riyad d'un aéroport européen. Là, il se livre aux autorités et vend tout ce qu'il sait des activités commerciales de Ben Laden. Apprenant la trahison, ce dernier
à juste le temps de déplacer les fonds, mais il perd
beaucoup d'argent.

En réponse, dans le courant de l'année 1995, les signaux sanglants se multiplient. Le 7 mars, deux diplomates américains sont assassinés à Karachi. Le 26 juin, un groupe terroriste tente d'assassiner le président égyptien Hosni Moubarak à Addis-Abeba, en Éthiopie. En août, Ben Laden envoie une lettre ouverte au roi Fahd d'Arabie l'appelant à déclencher une guérilla contre les soldats américains positionnés en Arabie Saoudite. Cela ressemble à une plaisanterie. Mais, le 13 novembre, un attentat conduit contre des militaires américains, en territoire saoudien, tue six personnes. Le 19, l'ambassade d'Égypte à Islamabad (Pakistan) essuie une double attaque à l'explosif.

L'attaque contre Moubarak et celle perpétrée en Arabie Saoudite retiennent l'attention.

★

★ ★

Le 26 juin, peu après 8 heures du matin, l'avion du président égyptien se pose à Addis-Abeba. Le chef de l'État vient pour participer à un sommet de l'OUA (Organisation de l'unité africaine). Il est en avance. Un peu avant 9 heures, son convoi se met en branle. Trois voitures, dont une Mercedes blindée, précédées d'une escouade de motocyclistes de la police locale.

Soudain, à 600 mètres de l'aéroport, une Toyota bleue se met en travers de la route. Deux hommes en jaillissent et, à la kalachnikov, arrosent de balles les véhicules du convoi. Quelques secondes plus tard, du toit d'une maison en construction, un autre groupe ouvre le feu.

Les gardes du corps de Moubarak bondissent des voitures et vident leurs chargeurs en direction des agresseurs. Parmi ces derniers, deux sont tués. Les autres, une demi-douzaine, prennent la fuite. La Mercedes transportant Moubarak rebrousse chemin. Il n'assistera pas au sommet de l'OUA. Il a sauvé sa vie pour deux raisons. D'une part, il a refusé d'utiliser la limousine officielle fournie par les autorités éthiopiennes. Il a préféré faire acheminer du Caire sa propre voiture. D'autre part, en avance sur le programme, il a surpris les attaquants. Dans une villa louée quelques jours plus tôt par le commando, les enquêteurs découvriront deux RPG7, des lance-roquettes antichars soviétiques. Une affaire bien montée dans laquelle Moubarak a eu beaucoup de chance.

L'Égypte accuse le Soudan, plus spécifiquement Hassan al-Tourabi de l'agression. Les enquêteurs découvrent qu'une partie du commando s'est repliée sur Khartoum. À ce propos, Al-Tourabi me dira :

« Deux des accusés sont entrés au Soudan. Probablement par des voies officieuses. Probablement portent-ils de faux passeports. Nos services de sécurité les ont recherchés en vain *... »

Il lui aurait pourtant suffi de lancer une enquête chez Ben Laden, parmi les proches de Al-Zawahiri. Ce dernier a déclaré la guerre au pouvoir égyptien et condamné à mort son président. Il n'en fait pas secret. On mesure l'hypocrisie du régime soudanais à une

---

* *Islam avenir du monde ?* un livre d'entretiens de l'auteur avec Hassan al-Tourabi, aux éditions J.-C. Lattès. Un résumé de la pensée islamiste.

déclaration de Al-Tourabi publiée le 5 juillet par son agence officielle, Suna. Il y rend hommage aux membres du commando et ajoute : « Allah veut que l'islam revive à partir du Soudan et remonte le Nil pour nettoyer l'Égypte de sa souillure... » Difficile à faire passer pour un gage d'amitié.

★

★ ★

Dans cette série d'attentats commis courant 1995, celui du 13 novembre en Arabie Saoudite marque le début d'une nouvelle phase de la campagne terroriste. D'abord parce qu'il se déroule sur le sol de la monarchie saoudienne. Ensuite parce que, pour la première fois, y sont tués des soldats américains en position non-offensive.

★

★ ★

À 11 h 40, une camionnette blanche explose en plein centre de Riyad. Elle était garée sur le parking réservé aux Américains encadrant la garde nationale saoudienne. Devant le restaurant où ils étaient en train de prendre leur repas. La déflagration a fait trembler le sol dans toute la ville. On relève six morts, cinq soldats Américains, dont deux officiers, et un Philippin. Il faut ajouter une soixantaine de blessés. La charge principale pesait 100 à 150 kilos, probablement du Semtex, un plastic d'origine tchèque.

Un communiqué émanant d'un groupe inconnu, les

Tigres du Golfe, revendique l'opération. Ben Laden, suivant la ligne de conduite adoptée, loue ses auteurs mais dément son implication ou celle de Al-Qaida. Cela rappelle les méthodes du Hezbollah pendant la guerre du Liban. Des organisations sans existence réelle s'attribuaient la paternité des attaques terroristes, comme l'Organisation de la justice révolutionnaire ou les Commandos kamikazes de l'imam Hussein. Cela permettait au mouvement intégriste de jouer un double jeu, approuvant les attaques tout en refusant d'en endosser la responsabilité.

★<br>★ ★

Les services de renseignements occidentaux savent que Ben Laden, Al-Zawahiri et Al-Qaida sont les ordonnateurs de toutes ces opérations. En 1995 pourtant, avec un sourire enjôleur, Al-Tourabi nous dit encore du Saoudien :

«Laissez-le donc tranquille. C'est un homme généreux qui dispose de sa fortune pour aider les pauvres...»

En fait de pauvres, Ben Laden s'intéresse surtout aux islamistes. Il donne de l'argent à tous, étendant son influence. Tous, parmi ces gens ou ces groupes, ne s'intégreront pas à son organisation. Mais ils constitueront une seconde ligne de combattants, se comportant en imitateurs et en laudateurs du maître d'Al-Qaida. Il applique la coutume orientale du clientélisme, achetant sa renommée à coups de dollars.

Une recrue met en évidence cette méthode et ses limites. Ibrahim est égyptien et appartient au mouvement des Gamaa, organisation responsable des attentats contre les touristes de la vallée du Nil. Il s'est confessé à un journaliste de *Jane's Defence Weekly*, un hebdomadaire britannique.

« Oussama Ben Laden, dit-il, aiderait n'importe quelle organisation islamique. Dieu le bénisse… Après avoir reçu un entraînement militaire dans l'un de ses centres au Soudan, je lui ai rendu visite pour le remercier. Il m'a remis un sac rempli d'argent égyptien. Je voulais ouvrir un camp dans les collines à côté d'Assiout… »

Mais, de retour en Égypte, Ibrahim prend peur. Il remet le magot à la police et trahit ses camarades. Tous ne flanchent pourtant pas.

Mais, désormais, la coupe est pleine pour Washington.

À la fin du mois d'avril 1996, le général Bachir se rend en pèlerinage à La Mecque. Au nom du roi Fahd, le prince Sultan, ministre de la Défense, approche le chef d'État soudanais. Il ajoute ses pressions à celles des États-Unis. En échange de pétrole bon marché et d'une grosse somme d'argent, il prie Bachir d'expulser Ben Laden. Puis, il ajoute, croyons-nous savoir :

« S'il ne quitte pas le Soudan, nous ne pourrons pas retenir le bras des Américains… »

Bachir a compris. À peine rentré à Khartoum, il convoque une réunion avec Al-Tourabi et les principaux membres du gouvernement. Ils prennent la décision de « demander » à Ben Laden de chercher un autre asile.

Personne n'a pu nous décrire l'échange entre le Saoudien et ses hôtes. Nous l'imaginons tendu. Ben Laden se sent trahi. Il a beaucoup donné pour le Soudan, sur le plan économique. Il a aussi subventionné la Conférence islamique de Al-Tourabi. Il décide néanmoins de jouer les grands seigneurs. Il partira la tête haute. Un de ses proches l'aurait cependant entendu marmonner un jour entre ses dents : «Al-Tourabi et Al-Bachir ont trahi la cause de l'islam.»

Demi-trahison, car Ben Laden garde au Soudan toutes ses entreprises. L'un de ses fils continuera de les faire fructifier. Quant au gouvernement soudanais, année après année, il remboursera la route Khartoum - Port-Soudan au Saoudien.

Outre l'arrangement financier, Ben Laden a une autre raison de filer doux. Le 15 août 1994, les autorités françaises avaient annoncé l'arrestation d'Illich Ramirez Sanchez, dit Carlos, sur le sol soudanais. Khartoum le leur avait livré. Le Saoudien n'a pas envie de finir comme le terroriste vénézuélien, drogué à l'éther et empaqueté dans un avion militaire.

Quelques jours après la mise en garde du général Bachir, au mois de mai 1996, Ben Laden embarque avec plusieurs centaines de combattants dans un gros porteur affrété pour l'occasion. Cette fois, il débarque directement à Jalalabad, en Afghanistan, où l'attendent ses amis Yunus Khales et Jallaludin Haqqani, ses compagnons de jihad.

Il est temps, le président Clinton vient de signer un ordre secret autorisant la CIA à utiliser tous les moyens pour détruire les réseaux de Ben Laden. Cela veut dire y compris l'assassinat.

Mais pour Ben Laden, de retour en Afghanistan, une nouvelle aventure commence…

# CHAPITRE 10

# Le royaume de l'insolence

On voit Ben Laden choisissant l'Afghanistan contraint et forcé. Le désordre y règne. Il l'avait fui en 1992. Il n'a pas d'autre pays où s'installer sans risquer la capture. Désormais, il est acculé. Alors, il va faire du *Royaume de l'insolence** sa forteresse. Couvert de montagnes, inaccessible par sa géographie, habité par une population jalouse de son indépendance, chacune de ses vallées est une redoute.

Le désordre règne donc, la guerre entre les factions fait rage. Ben Laden appréhende la situation avec sagesse car il n'est pas sous l'emprise d'un défi. Il envoie une lettre aux chefs des tendances en conflit et les assure de sa neutralité. Puis il s'installe.

Avec l'aide d'Haqqani, le commandant de la région, il réinvestit ses bases de Khost. Dans une position fragile, on pourrait le croire disposé à éviter quelque temps d'attirer l'attention. Mais son départ forcé du Soudan a dopé sa haine contre les États-Unis. L'orgueil

---

* Titre du livre de Mike Barry expliquant à travers l'histoire l'importance géostratégique de l'Afghanistan.

alimente sa colère. Le 25 juin 1996, un nouvel attentat ensanglante l'armée américaine au cœur du royaume saoudien.

À 21 h 55, sur la base aérienne de Khobar, près du port de Dahran, un camion citerne se gare à une cinquantaine de mètres des bâtiments où logent les militaires américains et alliés. Deux hommes sautent de la cabine et s'engouffrent dans une voiture de tourisme. Immédiatement, le poste de garde donne l'alerte. Trois minutes s'écoulent. Puis, une charge de 2 500 kilos d'explosif saute. La déflagration éventre un immeuble de huit étages. Elle fait 19 morts et 400 blessés. Les experts signaleront la technicité de l'attaque. En particulier, la position du camion, choisie de manière à produire le plus de dégâts possibles.

Selon son usage, dans un communiqué, Ben Laden approuve l'attentat, mais s'en dit innocent. Les autorités saoudiennes, par contre, réagissent d'étrange manière. 48 heures après l'attaque, la police déclare suspecter les réseaux d'Arabes anciens d'Afghanistan. Un soupçon menant sur la piste de Ben Laden. Mais, très vite, l'Arabie Saoudite distille la rumeur d'une opération réalisée par des chiites, thèse qu'ils finiront par imposer.

Que s'est-il passé? Les Saoudiens veulent-ils composer avec Ben Laden? Cherchent-ils, pour cette raison, à détourner les regards de lui? Ou quelqu'un a-t-il compris sa faiblesse psychologique et décidé de l'utiliser pour pousser le Saoudien à la faute?

Quoi qu'il en soit, il est piqué au vif. D'après une biographie de Ben Laden rédigée par ses disciples, « les Saoudiens exagèrent le rôle d'Hani Sayegh ». L'un des rares sujets chiites du royaume, Sayegh est impliqué dans l'attentat. Ce document, publié en arabe, insiste sur un autre point. Il évoque la rupture, à venir, des relations entre les Taliban afghans et l'Arabie Saoudite. Étrangement, il la présente comme liée à l'accusation portée contre Ben Laden dans l'affaire de l'attentat de Khobar. On a l'impression de voir le chef d'Al-Qaida dicter ces lignes, frustré de se voir dérober la paternité du crime. S'il y a eu manipulation psychologique, elle est habile. Faut-il intégrer cette hypothèse dans l'enchaînement des événements ? Le 19 juillet, dans les montagnes à la frontière pakistano-afghane, Ben Laden organise un meeting de la diaspora islamiste. Une répétition des « Conférences populaires, arabes et islamiques » qu'il finançait pour Al-Tourabi à Khartoum. Là, il obtient à l'unanimité une déclaration de principe d'opposition « aux forces étrangères stationnées sur une terre musulmane ».

Le 23 août, il transforme son essai. Devant une caméra, il lit une déclaration de douze pages. Une cassette vidéo est réalisée et des copies distribuées à travers le monde pour reproduction.

Le document s'intitule « Déclaration de jihad contre les Américains occupant le pays des lieux saints ». Il s'agit de la péninsule arabique d'une part, des sites de La Mecque et Médine d'autre part.

Ben Laden déclare donc la guerre aux Américains. Or, lorsque quelqu'un vous déclare la guerre vous êtes en droit, au nom de la légitime défense, de lui répondre par les armes. Vous êtes en droit de le tuer dans une opération militaire.

Cette nuance semble avoir échappé à tout le monde. Aux Occidentaux, quand ils s'embarrassent de légalité judiciaire. Aux musulmans, parce qu'ils demandent des preuves matérielles de la culpabilité de Ben Laden.

Dans des sociétés où l'on a perdu le sens des mots, on finit par trouver normales les menaces les plus graves, y compris une déclaration de guerre à un peuple. À force d'excès verbaux par démagogie, ou de paresse dans l'expression, on en vient à ne plus comprendre ce que l'on entend. Cela vaut aussi bien pour l'Occident que pour le monde musulman. Parodiant un titre de la presse française, nous avons perdu «le poids des mots» pour ne garder que «le choc des photos».

Si l'expression «déclaration de guerre» avait un sens, les Occidentaux, depuis longtemps, auraient livré bataille à Al-Qaida. Quant aux musulmans, ils se seraient inclinés en silence, car ils savent. Quand on ouvre la porte de la guerre, comme Ben Laden, on en accepte les lois... et les dangers. À moins, bien sûr, d'être fou.

Or le Saoudien n'est pas fou. Il le prouve dans le texte de sa déclaration. Nous lisons après la formule religieuse d'usage:

«On ne peut cacher les injustices et les agressions dont sont victimes les musulmans, de la part de l'alliance judéo-chrétienne et de ses collaborateurs. Le sang des musulmans ne vaut rien pour eux. L'ennemi les dépouille même de leur argent et de leurs biens. Ils sont assassinés en Palestine et en Irak, les images du carnage de Qana, au Liban, sont toujours dans nos mémoires, comme les boucheries du Tadjikistan, de l'Assam, du Cachemire, de Bosnie-Herzégovine, etc. Ces massacres nous donnent la chair de poule et révoltent les consciences. Non seulement tout cela se passe au vu et au su de tous, mais c'est aussi le résultat du complot de l'Amérique et de ses alliés...»

Comme nous l'avons déjà remarqué, il y a volonté d'enfermer les musulmans dans un état d'esprit paranoïaque, ici en pratiquant l'amalgame. Car, si l'on peut reprocher à l'Occident des fautes graves, une certaine hypocrisie même, on ne peut l'accuser de tout. En Somalie, il n'a aucune responsabilité dans les affrontements tribaux. En Bosnie-Herzégovine il a pris militairement position en faveur des musulmans, au prix de la vie de ses hommes. En Tchétchénie, faudrait-il aussi entrer en guerre contre la Russie pour satisfaire Ben Laden?

Et n'oublions pas. Au Cachemire, les musulmans indépendantistes ne sont pas seulement victimes, mais aussi criminels dans leurs méthodes de guérilla. Dans le sud des Philippines, en dépit des accords de paix passés avec la majorité chrétienne, le groupe Abou Sayyaf continue de semer la terreur, allant jusqu'à kidnapper et assassiner des touristes étrangers.

Parlant de l'Assam, enfin, Ben Laden serait bien en mal de dire combien de musulmans massacrés il compte dans cet État de l'Inde. Composée de migrants

de fraîche date, la minorité mahométane n'atteint pas
les 4 %. Deux mouvements indépendantistes subissent
la répression du pouvoir central parce qu'ils guerroient
contre lui, mais ils sont hindous. Il est vrai qu'on les
croit soutenus par les services pakistanais. D'où sans
doute la méprise du Saoudien.

Continuant la lecture de la lettre, on apprend que
« l'alliance judéo-croisée... a assassiné le cheikh
Abdallah Azzam... et emprisonné le cheikh Omar
Abdel Rahmane...»

Le premier, comme nous l'avons déjà dit, est probablement mort à la suite des conflits d'intérêts entre
musulmans. Le second séjourne en prison pour son
implication dans l'attaque du World Trade Center en
1993. Peu importe la vérité. Il s'agit de susciter l'émotion des musulmans mal informés. D'entretenir ainsi la
fable d'un Occident resté à l'époque des croisades. Peu
importe le démenti de la réalité.

Suscitant la paranoïa, les islamistes, Ben Laden en
particulier, cherchent à enfermer les musulmans dans
un monde virtuel. Un monde dans lequel le concret
s'estompe, laissant la place à un décor fantasmago-
rique. On appelle cela une manipulation psychologique. Nous sommes confrontés à la logique des sectes.

★

★ ★

Cependant, un changement majeur s'opère en
Afghanistan. Il a pour nom Taliban. Ils surgissent à
partir de 1994. En tant que force, ils n'existaient pas
jusque-là. Ce ne sont pourtant pas des Martiens. Pour

en faire des acteurs principaux de la scène afghane, trois pays auront conjugué leurs efforts : l'Arabie Saoudite, le Pakistan et les États-Unis.

★
★ ★

Là encore, tout commence par l'invasion soviétique, en décembre 1979. Environ trois millions de réfugiés afghans cherchent refuge au Pakistan afin de fuir les bombardements. Ils appartiennent pour la plupart à l'ethnie pachtoun, tribus du sud du pays représentant 40 % de la population. Depuis le XVIIIe siècle, quand naquit l'Afghanistan moderne, les Pachtouns monopolisent le pouvoir.

Musulmans, de rite sunnite, ils n'en pratiquent pas moins un islam mêlé de coutumes tribales. Le «pachtounwali» les résument, véritable code non écrit des relations claniques. Mais, surtout, ils ne parlent pas arabe. Quelque chose de difficilement tolérable à l'ouïe, sensible sur ce point, des Saoudiens. Plus que d'autres, tout imprégnés, comme leur père le défunt roi Fayçal, de la volonté d'islamiser et d'arabiser le monde, les princes Turki et Mohamed voient là une aberration.

Sous prétexte de jihad contre les Soviétiques, les Saoudiens passent à l'offensive, Turki et Mohamed en tête, grâce à la «Ligue islamique mondiale» sous leur influence. Investissant des sommes énormes au Pakistan, ils construisent et soutiennent des écoles destinées aux jeunes Afghans, voire aux petits Pakistanais. On pourrait s'en réjouir. Mais, ces lieux d'étude, dénommés «madrasa», sont d'un genre particulier.

Les gosses, tous des garçons, y apprennent le Coran par cœur comme des automates. On leur inculque aussi quelques rudiments d'arabe et on leur fait ânonner des slogans censés leur servir de programme de vie. Le mot jihad devient leur seul viatique, la loi coranique leur seul univers. Les plus doués accèdent à l'apprentissage des subtilités de la langue du prophète.

Encore fallait-il remplir les salles d'études. Chose délicate dans une région du monde où la pauvreté oblige les enfants à travailler très jeunes. Les Saoudiens portent alors leur botte secrète. Non seulement ils nourrissent les élèves, mais ils versent aux parents un salaire pour chaque garçon envoyé dans les madrasa. Liasses de billets à la main, ils draguent les camps de réfugiés. Résultat, les écoles sponsorisées par l'Arabie Saoudite se remplissent et se multiplient.

J'ai visité, à la fin des années 80, l'une de ces écoles, à Peshawar, dans le quartier dénommé «Afghan Colony». Assis à même le sol, deux ou trois cents gosses s'entassaient dans une pièce. Devant chacun d'eux, un lutrin portait un Coran. Ils se dandinaient d'avant en arrière, récitant chacun pour lui une sourate en arabe à laquelle il ne comprenait rien. Cela produisait une cacophonie insupportable à l'oreille, transformant le séjour dans ce lieu en enfer.

Après quelques photos, profitant d'une récréation des enfants, j'approchai un groupe d'adolescents de quatorze ou quinze ans. Turbans gris serrés autour de la tête, pieds nus dans des savates éculées, on les sentait plein de l'assurance que donne un savoir superficiel. L'un d'eux parlait persan, langue quasi nationale de l'Afghanistan, parfois ignorée des tribus montagnardes pachtouns.

Curieux de comprendre, je lui demandai :

« Ne souhaiteriez-vous pas, toi et tes camarades, apprendre d'autres matières que le Coran, comme l'histoire et les mathématiques ?

– Pourquoi faire ? répliqua-t-il, il y a tout dans le Coran. C'est la science des sciences, celle qui résume toutes les autres. »

Puis il eut un conciliabule en pachtoun avec ses camarades, auquel je ne compris rien. Le petit groupe souriait en me regardant de côté. Ce jour-là, j'ai touché du doigt le danger de ces madrasa. On peut les appeler écoles coraniques, puisque l'on y étudie le Coran. Certainement pas écoles musulmanes, tant l'une des valeurs essentielles de l'islam, la politesse, en est absente. Même en islam, on se fait bien la religion que l'on veut !

★<br>★ ★

Deuxième acteur responsable de l'émergence des Taliban, le Pakistan. D'une part, le pouvoir pakistanais se sert de l'islamisme comme d'une idéologie pour manœuvrer la population. De l'autre, il a des vues annexionnistes sur son voisin, l'Afghanistan.

Cette volonté d'expansion, il cherche depuis toujours à la satisfaire en utilisant les tribus pachtouns, avec lesquelles il jouit d'une continuité territoriale. Or, les gosses des madrasa présentaient la double qualité islamiste et pachtoun. L'idéal, aux yeux des dirigeants d'Islamabad.

★
★ ★

Troisième acteur, Washington. Les États-Unis viennent de jeter leur dévolu sur les réserves de pétrole et de gaz du Turkménistan. Pour en prendre le contrôle, ils voudraient couper de Moscou cette ancienne république soviétique. Encore faut-il, pour cela, pouvoir acheminer les hydrocarbures jusqu'aux marchés internationaux.

Or, le Turkménistan ne dispose pas de façade maritime ouvrant l'accès des océans aux tankers. Il faut transporter les énergies fossiles par voie de terre. La route du nord est interdite, puisqu'elle passerait par la Russie. Ce que veulent justement éviter les Américains. La traversée de l'Iran ? Impossible en raison de l'embargo ordonné par Washington contre ce pays. Ne restent plus que les plaines de l'Ouest afghan.

Mais là surgit un nouveau problème, l'instabilité d'un pays ensanglanté par la guerre civile. Installer des pipelines dans un pareil contexte relèverait de l'inconscience. Arrivé à ce point, l'on se demande qui vient le premier, de l'œuf ou de la poule, de la volonté pakistanaise ou du plan américain.

★
★ ★

L'accord porte néanmoins ses fruits. À l'automne 1994, des hommes en armes surgissent à la frontière pakistanaise. Ils sont afghans de l'ethnie pachtoun, et sortent des madrasa saoudiennes. On les appellera Taliban, de l'arabe *talib* signifiant étudiant. Ils pénètrent en Afghanistan appuyés par quelques dizaines de chars et même de vieux avions de combat d'origine soviétique donnés par les Pakistanais. Une manière peu courante de rentrer à la maison pour des étudiants. Ils ont par contre un discours nouveau pour le pays. Ils appellent les factions à cesser de guerroyer. Ils s'affirment pacifiques et invitent tout le monde à les rejoindre.

Au sud, en région pachtoun fatiguée par bientôt quinze ans de guerre, population et combattants se laissent séduire. D'autant plus facilement que les Taliban parlent leur langue et appartiennent aux mêmes clans, voire aux mêmes familles. Sans que soit tiré un coup de feu, province après province, la partie méridionale du pays bascule sous l'autorité des «étudiants en théologie».

En mars 1995, ils arrivent devant Kaboul, siège du gouvernement légal dirigé par Burhanuddin Rabbani et soutenu par Ahmad Chah Massoud. Ceux-ci appartiennent à l'ethnie tadjike et refusent de passer sous la loi pachtoun.

La capitale résiste. Les Taliban l'attaquent à l'artillerie. Là, brusquement, leur mythe s'effondre. Ils apparaissent comme une faction parmi les autres. Les forces gouvernementales contre-attaquent et, dans un premier temps, repoussent leurs adversaires. Mais les conseillers pakistanais interviennent. Après moult combats, les Taliban finiront par s'emparer de Kaboul le 27 septembre 1996.

Les parrains des Taliban signent alors le complot.

La communauté internationale refuse de reconnaître le nouveau gouvernement, mais le Pakistan le laisse ouvrir une ambassade à Islamabad. Son ministre des Affaires étrangères qualifie les Taliban d'«hommes de piété». L'Arabie Saoudite noue aussi des relations diplomatiques avec eux.

Quant aux États-Unis, ils acceptent l'installation à New York d'une délégation des Taliban. Plus étonnant, une Afghane de bonne famille et aux allures modernistes, Leila Helms, devient leur ambassadeur de charme. Elle a épousé un officier de la CIA, lui-même fils de Richard Helms, un ancien directeur de l'agence de renseignements.

Le département d'État, ministère des Affaires étrangères américain, déclare le 27 septembre qu'il ne voit aucun inconvénient à la manière dont les Taliban appliquent la loi islamique dans les secteurs sous leur contrôle. Le porte-parole les appelle même «à se dépêcher de rétablir l'ordre».

Cependant, point de bonnes relations sans un solide business. Les Taliban sont priés de construire une route de 500 kilomètres. Elle partira de la ville de Chaman, à la frontière du Pakistan, pour rejoindre le Turkménistan. Officiellement, le financement revient à Islamabad. Mais, étrangement, son tracé suit celui prévu pour les pipelines. On suspecte des intérêts privés de rembourser, largement, Islamabad.

Autre signe, le réseau téléphonique afghan passe, au moins en partie, sous contrôle pakistanais. Enfin,

Unocal, entreprise pétrolière américaine, ouvre des bureaux à Kaboul. Avec Delta Oil, société saoudienne, elle doit construire les pipelines partant du Turkménistan. On n'entend pas alors Washington tempêter à propos du respect des droits de l'homme. Pourtant, déjà, les Taliban coupent les mains des voleurs, interdisent aux femmes d'étudier ou de travailler et appliquent une loi islamique sans nuance. Au point que, ironie de l'histoire, l'ayatollah iranien Ahmad Janati, l'un des plus durs du régime de Téhéran, les qualifiera de «violents, bornés et réactionnaires»...

Il faudrait dire à Washington qu'il n'existe pas meilleur moyen de lutter contre l'islamisme et le terrorisme que de ne pas les soutenir. Car à deux reprises la même erreur, en dix ans de temps, cela fait beaucoup. La première fois dans les années 80, en soutenant les islamistes arabes en Afghanistan. La seconde de 1994 à 1996, en fermant les yeux sur la nature réelle des Taliban.

★<br>★ ★

Cependant, en Afghanistan, Ben Laden opère sur des sables mouvants. Début 1996, les Taliban s'emparent de Jalalabad et de la région de Khost. Le fief de son hôte, Jallaludin Haqqani. Ce dernier, avec son chef de parti, Yunus Khales, accepte les nouveaux maîtres du pays. Ils ont tout pour lui plaire : l'islamisme et l'appartenance à l'ethnie pachtoun.

Le chef des Taliban, Mollah Omar, soutenu par les États-Unis et l'Arabie Saoudite, tient les dés en main.

Le temps suspend son vol. Puis, Ben Laden reçoit un courrier. Dans la tradition afghane et musulmane, il lui est offert de demeurer en Afghanistan. Mollah Omar, désormais prénommé «amir al mouminin» (chef des croyants), lui accorde sa protection.

Il avance cependant une condition. Il demande à Ben Laden de mettre un terme à sa «politique médiatique», pour reprendre ses mots. En clair, il veut le voir cesser d'accorder des interviews à la presse. Comment le Saoudien va-t-il réagir?

# CHAPITRE 11

# La presse, arme de guerre

Ben Laden aime la presse. Particulièrement la télévision. Elle lui sert d'orchestre pour valoriser son jeu d'acteur. À satisfaire son ego, aussi. Ainsi, un jeu pervers, mais incontournable, s'initie-t-il entre lui et les hommes de médias.

Déjà, au Soudan, il cherchait, par l'intermédiaire d'Arabes introduits dans la presse occidentale, à susciter des demandes de la part de journalistes. Mais jaloux de sa renommée, Hassan al-Tourabi, son protecteur à Khartoum, faisait barrage. «Laissez-le, disait-il, c'est un homme généreux, avide de tranquillité.» Un Français parvint pourtant à le rencontrer. Un Britannique aussi, du nom de Robert Fisk. Celui-ci le verra à nouveau en Afghanistan, en automne 1996 et à la fin de l'hiver de l'année suivante.

Ben Laden fait cependant sa véritable entrée médiatique en novembre 1996, avec une interview accordée à Gwynne Roberts, un journaliste britannique de télévision. Il dévoile alors le côté versatile de son caractère. Il menace en effet les États-Unis de soutenir contre eux un jihad si leurs troupes ne quittent pas la région du Golfe. Or, on s'en souvient, le 23 août précédent, il avait lancé le signal de la guerre sainte contre Washington. Il ne la déclare plus, mais promet de la déclarer.

Ses adresses à la presse, ou ses déclarations publiques, ne sont qu'annonces répétitives de jihad contre les États-Unis et chapelet de doléances à propos des « crimes » commis par les autres, les non-musulmans. Quand on a écouté l'un de ses speeches, on les a tous entendus. Dès lors, l'événement n'est plus dans le propos, mais dans la date, les circonstances de l'interview et le choix du média.

★

★ ★

Pour sa deuxième opération, Ben Laden fait appel à un journaliste pakistanais, Hamid Mir, rédacteur en chef d'une publication locale, *Ausaf*. Il rend ainsi hommage à ses coreligionnaires musulmans. L'histoire de la prise de contact semble tirée des aventures de Fantomas.

Lors d'une rencontre avec Mollah Omar, en 1996, Hamid Mir avait sollicité une rencontre avec l'« hôte de l'Afghanistan ». La demande a suivi son chemin. Au début du mois de février 1997, un Algérien se rendit chez le Pakistanais à Islamabad. « Il m'a soumis à une batterie de questions visant à déterminer mes convictions religieuses et politiques », a rapporté Hamid Mir. Avant de le quitter, l'émissaire affirma pouvoir organiser une rencontre avec Ben Laden, « mais pendant que nous y réfléchissons, vous resterez sous observation★...» De quoi donner la chair de poule!

Le 12 mars, le messager algérien se représente. «Soyez prêt pour demain avec votre photographe», ordonne-t-il. Le jour suivant, ils rejoignent tous les trois la frontière afghane, à Torkham, en minibus. Là, ils sont pris en main par un groupe dépêché par Ben Laden. À la surprise des Pakistanais, ils n'ont pas à présenter leurs passeports au poste de contrôle des Taliban. Ils s'enfoncent alors dans les montagnes, marchant plusieurs heures sur des sentiers muletiers. Enfin, ils arrivent à une piste où les attend une Jeep. Là, après deux heures de route, on leur bande les yeux. Quand on leur retire le bandeau, ils se retrouvent dans un camp, dans la région de Jalalabad, estiment-ils, au milieu de centaines d'hommes en armes. Parmi eux, ils remarquent deux Noirs américains.

«Ils m'ont fait déshabiller, raconte Hamid Mir encore sous le choc de l'humiliation, ils m'ont palpé les testicules, puis ils m'ont soumis à une longue échographie du ventre après m'avoir enduit de gel... Ils ont cassé tous mes stylos en me disant qu'ils les remplaceraient par des stylos de luxe...»

Toutes ces précautions pour s'assurer que ni lui ni son photographe ne dissimulent des explosifs ou des équipements électroniques de repérage. Ils entrent alors dans le saint des saints: une pièce creusée dans le rocher, des tables chargées d'écrans de télévision et de

---

★ Dans la relation de la rencontre entre Hamid Mir et Ben Laden, les citations sont tirées de *Libération* du 21 septembre 2001.

matériel vidéo, des centaines de livres en arabe de commentaires du Coran meublant des étagères.

Ben Laden les rejoint là. Tout de blanc vêtu et enturbanné, il porte à l'épaule la couverture afghane, l'indispensable «patou». Il est souriant. Selon la coutume orientale, avec affabilité il invite ses invités à s'asseoir sur le tapis autour «d'un énorme plateau sur lequel il y avait un mouton entier rôti, du riz, de la salade et du Pepsi-Cola bien frais...»

Avec eux, un autre homme, Ayman al-Zawahiri, le chef du Jihad islamique égyptien, comme nous le savons. Ben Laden ne parlant pas anglais, il sert d'interprète.

Une nouvelle douche froide attend le Pakistanais. Par la bouche de l'Égyptien, il s'entend dire : «Vous avez un fils, vous avez quatre frères et une sœur, je connais vos amis...»

À ces détails, Ben Laden ajoute le numéro du compte en banque d'Hamid Mir et celui du téléphone de sa maîtresse. Puis, sûr de l'effet produit, il prend congé pour la nuit.

Le lendemain, le journaliste obtient son interview. Il faut imaginer la scène. Il fait face à deux des terroristes les plus réputés de la planète. Il a peur, mais ne le montre pas. Il a même l'audace de demander un autre interprète, Al-Zawahiri parlant mal anglais. On lui trouve un garçon pratiquant l'arabe et l'ourdou, la langue la plus commune au Pakistan.

L'une des réponses a une importance cruciale :

«Pourquoi avez-vous ordonné de tuer des Américains, interroge Hamid Mir, alors que certains d'entre eux sont musulmans ? Qu'en outre l'islam interdit le meurtre d'enfants innocents ?»

Se caressant la barbe, Ben Laden ne se départit pas de son calme.

« Nous avons reçu cette fatwa, affirme-t-il, du cheikh Omar Abdel Rahmane. On m'a demandé de la signer et j'ai accepté. »

Puis il continue pour se justifier :

« Les Israéliens tuent des enfants innocents, au Liban et en Palestine. Pourquoi vos innocents musulmans, juifs et chrétiens américains demeurent-ils silencieux ? Leur silence les rend complices, nous devons donc les tuer. »

On pourrait lui opposer la mort « d'enfants chrétiens », au Liban et ailleurs, des mains de musulmans. On pourrait aussi évoquer alors le silence des mahométans. Mais, on le voit, Ben Laden fonctionne dans une logique d'holocauste planétaire. Il pousse à l'affrontement de deux blocs, à l'étreinte dans une pulsion de mort. Pour plaire à la divinité, il veut du sang. Son dieu n'est pas Allah, mais Moloch, l'idole phénicienne à laquelle on sacrifiait des êtres humains.

La fatwa de Cheikh Omar mérite la lecture. Elle est sortie clandestinement de la prison américaine où il finira sans doute ses jours. Plusieurs journaux pakistanais l'on publiée en 1999. « Coupez tous les liens avec les États-Unis, dit-elle, détruisez-les complètement et effacez-les de la surface de la terre. Ruinez leur économie, incendiez leurs entreprises, réduisez leurs conspirations en poussière. Coulez leurs navires, faites écrasez leurs avions. Massacrez-les dans les airs, sur terre et sur l'eau... Tendez-leur des embuscades et tuez ces infidèles... »

Les propos de Cheikh Omar relèvent ou de l'incitation au meurtre ou de l'aliénation mentale. Quand des gens comme Hassan al-Tourabi, l'islamiste soudanais, assurent que le cheikh Omar est innocent, puisqu'il n'a pas versé de sang de ses mains, ils devraient réfléchir. La liberté religieuse aussi a des limites.

Mais s'agit-il bien de religion, comme veulent nous le faire croire les islamistes ? Hamid Mir, prenant un risque mortel en le disant, constate qu'« en fait, Ben Laden ne connaît de l'islam que les principes généraux »...

Il analyse : « Son idéologie, fondée sur la haine des États-Unis, est dangereuse. Elle est même dangereuse pour l'islam, de mon point de vue. Mais elle se répandra comme un feu de prairie dans le monde islamique. Les jeunes, trop paresseux pour étudier le vrai islam dans les madrasa, croiront leur héros sur parole. Et je suis convaincu que nous irons alors vers une guerre des civilisations. »

Détail révélateur de la paranoïa dans laquelle s'est enfermé Ben Laden, celui-ci fait confisquer les négatifs des photos réalisées par les deux journalistes pakistanais. Il craint de les voir servir à des montages numériques le mettant en scène.

Une photo finira cependant par faire, plus tard, son chemin jusqu'en Occident. Elle montre Hamid Mir assis en tailleur. À ses côtés, Ben Laden offre un sourire aimable. Entre eux, on reconnaît sa kalachnikov à crosse repliable et canon court, qu'il dit avoir pris à un général soviétique pendant la guerre.

Au cours d'une seconde entrevue, Ben Laden demandera à Hamid Mir d'écrire sa biographie. « J'ai accepté la peur au ventre », dit-il. Depuis plusieurs mois, il attend l'imprimatur d'Oussama Ben Laden.

★

★ ★

En mars 1997, «Cheikh Oussama», comme l'appellent ses séides, poursuit sa campagne auprès des médias. Il convoque CNN, trop content de cet honneur. Après le geste de courtoisie à l'intention des musulmans, il veut toucher l'Occident. Le défier en pleine face. CNN, la chaîne de télévision américaine qui diffuse dans le monde entier, lui apparaît comme le meilleur amplificateur de ses messages.

On l'entend:

«Mentionner le nom de Clinton ou celui du gouvernement américain provoque dégoût et révulsion. Ceci parce que le nom du gouvernement américain, ceux de Clinton et de Bush évoquent pour nous les images d'enfants la tête coupée avant même d'arriver à l'âge d'un an. Ils évoquent l'image d'enfants les mains tranchées...»

À l'excès, nulle réponse possible...

★

★ ★

Ben Laden a le sens des médias. Le sensationnel, l'horrible si possible, a-t-il compris, attirent, mieux même obligent les journalistes à répondre présents. Il suffit d'offrir le spectacle et ils viennent. Il se grise. Du fond des montagnes afghanes, il peut, au jour le jour, suivre le résultat de ses déclarations sur les écrans de télévision. Mais, quand on surfe ainsi sur les sommets de la presse internationale, il est difficile d'accepter le retour au monde du silence.

Aussi, la lettre de Mollah Omar lui assurant sa protection en échange d'une obligation de réserve dans les médias l'insupporte-t-il. A-t-il cependant le choix? La rage au ventre, il s'incline et remercie.

Mais pourquoi ce comportement des Taliban acceptant le séjour de Ben Laden tout en bridant ses interventions sur les ondes?

Ils ont alors de bonnes relations avec le régime saoudien et, nous l'avons vu, avec les États-Unis. Les propos de leur hôte risquent de leur poser des problèmes. Quant à l'expulser, cela serait à la fois contraire à leur coutume tribale et aux règles de l'islam concernant « l'invité ». Sans parler, soyons pragmatiques, des réactions d'hommes comme Jallaludin Haqqani et Yunus Khales, amis depuis quinze ans de Ben Laden. Ceux-là risquent de déserter les rangs des Taliban ou de se révolter.

★

★ ★

Pour récupérer Ben Laden des mains des Taliban, les Américains comptent sur les Saoudiens. Ceux-ci partent à la pêche. Au printemps 1996, ils invitent, avec tous les honneurs, le chef du gouvernement taliban, Mohamed Rabbani*, pour le pèlerinage annuel à

---

* À ne pas confondre avec Bourahnuddin Rabbani, président du régime démis par les Taliban.

La Mecque. Mais, prudents et attachés à leurs principes, les nouveaux maîtres de l'Afghanistan ne fléchissent pas. Une étrange affaire prend alors forme. La frontière afghano-pakistanaise traverse la région habitée par les Pachtouns. Des deux côtés, l'on retrouve les mêmes tribus et les mêmes clans peu respectueux d'un pointillé pour eux immatériel. Contrebandiers, autrefois mercenaires offrant leurs services aux Moghols, aux Arabes ou à l'Empire perse, les gens de cette région sont toujours prêts à se vendre au plus riche.

Vers le mois de juin, des informations parviennent aux hommes de Ben Laden. Des officiers pakistanais, probablement achetés par les Saoudiens, donnent de l'argent aux tribus pour monter une expédition et s'emparer de leur protecteur.

Prévenu, ce dernier choisit la fuite. En voiture, il rejoint Kaboul, aux mains des Taliban depuis le mois de mai. Puis, en avion, il part pour Kandahar, seul endroit où quelqu'un puisse le protéger : Mollah Omar.

Le maître tient réunion en compagnie de ses proches. Selon l'usage, des matelas de laine font le tour de la pièce. Au milieu, un tapis turkmène, seule richesse des maisons afghanes, réchauffe l'endroit du rouge de sa couleur. Pour le reste, des armes. Sur les murs, sur le sol, sur les genoux, partout des armes.

À l'arrivée de Ben Laden, tout le monde se lève. Ainsi le veut la politesse afghane. Puis, on se donne l'accolade, multipliant les formules de politesse. En fonction du nombre de personnes présentes, ce cérémonial peut durer jusqu'à une dizaine de minutes, puis reprendre à l'entrée d'un nouveau venu, voire d'un nouveau groupe.

Ben Laden rencontre Mollah Omar pour la première fois. La main sur le cœur, il se fait encore plus humble, en apparence, que d'habitude. En réalité, en son for intérieur, il bout. Il se sait complètement dépendant du chef des Taliban.

«Je rends hommage à la généreuse protection que tu m'accordes. Dieu te le comptera le jour du jugement», avance-t-il la tête inclinée, le regard baissé.

De très haute taille, tout de noir vêtu, le turban incliné sur l'œil, pour en cacher l'orbite énucléée, Mollah Omar lui prend la main :

«Oussama, tu es plus cher à notre cœur que le plus cher des Afghans qui a combattu pour préserver notre terre de l'impie communiste. L'honneur est pour nous infini, en tant que combattant du jihad et hôte arabe, de te recevoir dans notre ville de Kandahar.

– L'honneur est pour moi, de fouler le sol de ta maison.

– Nous te demandons seulement, noble Oussama, de nous donner ta parole d'éviter dorénavant de rencontrer des gens de la presse», rétorque le mollah borgne.

Encore cet interdit! Ben Laden s'incline un peu plus, serrant un instant les mâchoires, avant de répliquer :

«Nous nous y étions déjà résignés…»

Un rictus, sa manière de sourire d'aise, apparaît sur le visage austère du maître d'Afghanistan.

À partir de ce moment, Ben Laden se place aux côtés des Taliban. Pour survivre, pour bénéficier de leur soutien, il doit être l'un des leurs. Devenir un baron de Mollah Omar. Pour cela, il range sa légion de quelques centaines d'Arabes aux côtés des Pachtouns dans les combats contre l'Alliance du Nord : les hommes d'Ahmad Chah Massoud, pour la plupart des Tadjiks, ceux d'Abdul Rachid Dostom, des Ouzbeks, les Hazaras, chiites du centre du pays. Ainsi, dans les combats opposant les frères ennemis de l'Afghanistan, par deux fois au moins, au cours de l'hiver 1997-1998, le courage de ses Arabes permet de garder Kaboul sous le contrôle des Taliban. Sur la ligne de front, sa légion devient un acteur indispensable. Quand les tribus pachtouns faiblissent en ardeur, quand les forces leur manquent, les Taliban savent pouvoir compter sur Ben Laden. Dans ce pays où tout s'évalue en nombre d'assauts conduits contre l'ennemi et en étalage de blessures de guerre, grâce à ses Arabes le Saoudien se fait sa place.

Mais au service de qui se met-il, un homme ou un mythe ? Mollah Omar vit reclus dans le secret de sa demeure de Kandahar. Il boude Kaboul. Là réside une partie de son ambiguïté : il se pose en chef d'État, mais choisit l'ancienne capitale des Pachtouns, fondateurs de l'Afghanistan, pour demeure.

Ses attaches tribales ont, dans son esprit, la priorité sur la nation et la diversité de ses ethnies : Tadjiks,

Hazaras, Turkmènes, Ouzbeks, etc. Cette tendance sectaire se retrouve dans ses relations avec la presse, il n'accepte de rencontrer que des journalistes musulmans.

Rien ne semblait prédestiner ce fils de paysan pauvre de la province d'Orouzgan, né en 1959, à un avenir de chef d'État. Il étudie cependant, un privilège, mais dans une madrasa. Il apprend, mieux que d'autres, le Coran par cœur. Cela lui vaut l'intérêt des réseaux religieux islamistes pakistanais et son envoi au Pakistan, dans une école coranique à Lahore.

Il n'émerge pourtant qu'en 1994. Quand le Pakistan, en accord avec l'Arabie Saoudite et les États-Unis, décide de lancer les Taliban à l'assaut de l'Afghanistan. Les officiers pakistanais, pour mettre un chef à la tête des Taliban, ont bâti sa légende en répandant des rumeurs. Écoutons !

Le prophète Mahomet en personne, rapporte aujourd'hui la ferveur populaire, a rendu visite à Mollah Omar dans ses rêves. Le fondateur de l'islam, tout droit venu du Paradis, lui aurait donné l'ordre de « rassembler les religieux d'Afghanistan et de chasser du pays les mauvais musulmans qui tuent, pillent et rançonnent les vrais musulmans »...

À la caution religieuse vient s'ajouter la réputation d'héroïsme, attribut indispensable d'un chef pachtoun. Combattant contre les Soviétiques, dans les années quatre-vingt, un éclat d'obus ou une balle de kalachnikov a extirpé le globe oculaire de Mollah

Omar hors de son orbite, laissant l'organe pendant sur sa joue. «Il se saisit de son œil, dit l'histoire, l'arracha et essuya sa main sanglante contre le mur de la mosquée où il se trouvait. Puis il repartit se battre. On peut encore voir, sur l'enduit, la trace de la traînée sanglante conservée par la population du village.»

On aurait tort de croire ces deux croyances sans importance. En Orient plus qu'ailleurs, ce type de superstitions légitime l'homme au pouvoir. Quant à la place du rêve dans l'imaginaire collectif musulman, il suffit d'évoquer le *miraj*, traduit en français par «voyage nocturne».

Cela vaut le détour. Selon la tradition islamique, pendant son sommeil Mahomet serait monté «au septième ciel», où, pour lui, Dieu aurait dévoilé sa face. Il effectuait sa randonnée nocturne accompagné de l'ange Gabriel et montant un cheval ailé à visage de femme dénommé Bourak. S'envolant de La Mecque pour son périple, l'équipage aurait fait escale à Jérusalem. Au nom de cette certitude, les musulmans revendiquent l'antique capitale d'Israël et principal lieu saint des chrétiens.

On comprend dès lors l'apparente soumission de Ben Laden devant Mollah Omar. On ne s'en prend pas à un symbole, au contraire, on l'honore. Alors, le Saoudien se fait doux comme le miel. À Kandahar, il fait bâtir une maison pour son protecteur et en installe une autre pour lui à côté. Il lui offre de puissants 4×4 à vitres fumées, aménage ses communications, lui offre le conseil de ses experts. En fait, Ben Laden ronge son frein, attendant son heure.

Voilà qu'elle survient en octobre 1997. Dostom, le chef de guerre ouzbek, reprend aux Taliban la ville de Mazar-e-Charif. Ces derniers s'affolent, craignant une nouvelle offensive de l'opposition et la perte de Kaboul, la fin, en d'autres termes, de leur semblant de légitimité sur le pays.

Plus que jamais, ils ont besoin des combattants arabes, à commencer par ceux de Ben Laden. Aussi les Américains tempêtent-ils, mais en vain, pour obtenir son extradition. Résultat, Washington fait monter la pression. Le 17 novembre, au cours d'une visite officielle au Pakistan, Madeleine Albright, alors à la tête du département d'État américain, déclare :

« Nous sommes opposés aux Taliban parce qu'eux-mêmes s'opposent aux droits de l'homme, parce qu'ils traitent de façon scandaleuse les femmes et les enfants, et parce qu'ils n'ont aucun respect pour la dignité humaine... »

Les droits de l'homme et la dignité humaine ont bon dos...

★

★ ★

Mais la virulence du propos va servir Ben Laden. Surfant sur la colère des Afghans, au mois de décembre, il organise dans les montagnes une réunion des ouléma, les théologiens de l'islam.

Avide de reconnaissance depuis son retour en

Afghanistan, il les flatte en sollicitant leurs avis et soutient financièrement leurs écoles. Il parvient à les convaincre de signer une fatwa déclarant la nécessité de chasser les Américains d'Arabie. Puis, usant de son habileté à manipuler la presse, il fait parvenir le document au journal arabe *Al Qods Al Arabi*, basé à Londres, pour publication.

Il passe alors à la seconde étape de sa manipulation. Le 22 février 1998, il convoque les organisations terroristes les plus proches de lui et de Al-Qaida, sa structure : le Jihad islamique égyptien d'Ayman al-Zawahiri, le Gamaa islamiya égyptien de Rifai Ahmed Taha, le Harakat Al-Ansar du Cachemire indien, de Fadl al-Rahmane Khalil, et le Harakat islamique du Bengladesh, d'Abdelsalam Mohamed.

La réunion se déroule dans un camp aménagé dans un défilé creusé par l'eau dans la roche. Des buissons ras, desséchés par le vent, s'accrochent aux pentes. Sur les crêtes, des centaines d'hommes armés montent la garde. Ben Laden a fait monter des tentes et installer un cercle de matelas pour recevoir ses convives. Une trentaine de personnes, les responsables et leurs principaux lieutenants, participent aux débats. Ils parlent un à un, d'une voix calme. L'endroit en paraît presque silencieux.

Dans l'humilité des lieux, l'assemblée décide de créer le «Front islamique mondial pour le jihad contre les juifs et les croisés». La dénomination à elle seule donne une idée du décalage entre ces gens et le reste de l'humanité. Pour eux, les aiguilles du temps se sont arrêtées aux croisades, au XIII$^e$ siècle. Quand les chrétiens, pour se défendre, copiant le jihad musulman, partaient eux aussi en guerre sainte.

Mais Ben Laden sait que cela demeure insuffisant pour justifier l'attention des médias. Il lui faut une déclaration, plus effrayante que les précédentes. Il ose faire prononcer une nouvelle fatwa par les chefs du Front, et non par les oulémas, en contradiction donc avec les usages :

« Le devoir de tuer les Américains et leurs alliés, civils et militaires, dit-elle, est une obligation individuelle pour chaque musulman qui peut le faire dans tous les pays où cela est possible... »

Suit bien sûr la justification :

« ... Ceci pour libérer la mosquée d'Al-Aqsa [Jérusalem] et la Sainte Mosquée [la Kaaba de La Mecque] de leurs mains et pour obliger leurs armées à quitter toutes les terres de l'islam, de les défaire et de les empêcher de menacer les musulmans. Ceci en accord avec les paroles du Dieu tout-puissant "combattez les infidèles, comme ils vous combattent... [et] combattez-les jusqu'à ce qu'il n'y ait plus de discorde et que le culte soit rendu à Dieu..." »

On en retient l'essentiel : l'appel au meurtre des civils.

★
★ ★

Au mois de mai, Ben Laden reçoit John Miller, journaliste de la chaîne de télévision américaine ABC. Au nom de la fatwa prononcée trois mois plus tôt, il répète :

« Nous n'avons pas à faire de différence entre les militaires et les civils. Nous les considérons tous comme des cibles... »

Pas de confusion possible. Mais, est-ce bien le Coran ?
Le verset 190 de la sourate II du *Livre des musulmans*
dit :

« Combattez pour la cause de Dieu ceux qui vous
combattent, mais ne dépassez pas les limites permises,
car Dieu n'aime pas les transgresseurs. »

Al Tabari Ben Jarir sert de référence chez tous les
oulémas. Commentateur du Coran ayant vécu au
IXᵉ siècle, il considère comme transgressions dans la
guerre les violences exercées sur les femmes, les
enfants, les vieillards, les esclaves ou les religieux. En
règle générale, pour lui, il y a faute en cas de cruauté
contre toute personne ne participant pas à la guerre.

Ibn Kathir (XIIIᵉ siècle), autre commentateur, considère aussi comme transgressions les destructions
de bâtiments, du cheptel, des arbres ou des récoltes.
Il appartient pourtant à l'école d'Ibn Taymiyah (lui
aussi du XIIIᵉ siècle), dont l'enseignement sert encore
aujourd'hui de référence aux mouvements islamistes.
Il a, par exemple, justifié l'assassinat des gouvernants
estimés impies, et fait figure de précurseur de l'islamisme.

Il ne relève pas de notre propos d'évaluer le degré de
musulmanité de Ben Laden. Cependant, nous pouvons affirmer que la fatwa créée et invoquée par lui et
ses amis est en contradiction avec le texte coranique et
les écrits des plus grands commentateurs de l'islam,
y compris les plus extrémistes d'autrefois.

Cela devrait donner matière à réflexion à ses coreligionnaires. Ben Laden, se demanderaient-ils alors, se
comporte-t-il bien en musulman ou se sert-il de notre
religion à d'autres fins ? En défigurant l'islam, n'en

est-il pas devenu l'ennemi et un danger pour les musulmans?

★<br>★ ★

Mollah Omar perçoit le danger de l'agitation médiatique causée par Ben Laden. Surtout, elle est en contradiction avec le marché auquel il l'a forcé en lui accordant l'hospitalité. Il envoie un courrier au Saoudien, pour lui faire remarquer qu'il a violé la parole donnée. Celui-ci répond à l'«amir al mouminin»: «Malgré tout le respect que je vous dois, la situation a évolué. Ce sont les ouléma d'Afghanistan qui ont rédigé une fatwa déclarant l'impérative nécessité d'expulser les Américains d'Arabie. Or, comme vous le savez, leurs décisions ont force de loi. Ceci en dépit de la considération qu'ils ont pour vous…»

Mollah Omar tire sa légitimité des oulémas, sorte de grands électeurs dans l'oligarchie afghane d'aujourd'hui. Ben Laden l'a piégé. Le maître de l'Afghanistan essaie de raisonner son hôte. Mais le Saoudien se retranche derrière la volonté décrétée des ouléma. Tout chef d'État qu'il est, Mollah Omar doit s'incliner pour éviter un conflit avec eux.

Et Ben Laden de poursuivre sa campagne médiatique. Au mois de mai, outre la rencontre avec John Miller d'ABC, il reçoit à nouveau Hamid Mir, le journaliste pakistanais. En avril, dans les bases de Khost, chez son vieil ami Haqqani, il donne même une conférence de presse devant quelques envoyés spéciaux sélectionnés.

Personne ne peut plus contrôler Ben Laden…

# CHAPITRE 12

# Le réseau des assassins

«Je suis né à Montreuil, à côté de Paris. Mon père préfère le bistrot à la mosquée. Ma mère fait le ramadan. Comme mes frères, je traînais. De temps en temps je vendais un peu de haschich. Un jour, un type en vêtements arabes m'a accroché. Il m'a parlé de la religion. Puis je l'ai revu. Un après-midi, je l'ai suivi dans une mosquée, à Saint-Denis.»

Ahmed affiche une trentaine d'années et une bonne gueule franche. Tout en longueur, le visage en lame de couteau, il a le type des Sémites du désert. Autour de nous, la foule de fin de journée venant boire une bière avant de prendre le métro. Triturant l'enveloppe du sucre de son café, il continue son histoire.

«Un jour, un type qui était à côté de moi pendant la prière m'a dit : "Tu sais, il y a mieux à faire pour l'islam. Viens avec nous en Afghanistan, là-bas, tu sens déjà l'odeur du paradis. On y fait le jihad." Je suis parti pour le Pakistan, il y a trois ans. Nous étions quatre, tous Maghrébins. À Islamabad, un Yéménite nous attendait à l'aéroport. Il a confisqué nos passeports. Nous avons pris le bus jusqu'à Peshawar. Le lendemain matin, un 4×4 nous emmenait à l'intérieur de l'Afghanistan. Des hommes plus âgés s'étaient joints à nous. À aucun moment nous n'avons eu à montrer des papiers pour franchir la frontière. Après une journée de route à travers la montagne, nous avons débarqué dans un camp.

— Dans quelle région?

— Les Arabes qui étaient là parlaient de la région de Jalalabad. En fait d'odeur du paradis, ça sentait surtout la sueur et la poussière. Et en plus, la nuit, on se faisait bouffer par les moustiques. Moi qui n'ai pas voulu faire mon service militaire, j'ai été servi. Avant le jour, il fallait se lever pour la prière, puis on se lavait à l'eau froide et on partait courir. Le vrai sport c'était d'éviter de se casser la figure en se prenant les pieds dans les pantalons afghans bouffants qu'on nous obligeait à porter. Après, nous commencions l'instruction sur les armes, le démontage-remontage de la kalachnikov, puis le tir. Les instructeurs, parmi eux il y avait un Russe, nous ont appris à marcher au pas, à piéger un véhicule et à nous battre à mains nues. Au bout de deux mois, j'en ai eu marre de manger du riz et de m'esquinter la santé. Je suis parti sans faire le jihad. Un tout-terrain m'a ramené à Peshawar, mais on ne m'a jamais rendu mon passeport. J'ai été obligé de demander un document de voyage à l'Ambassade de France à Islamabad, où je me suis fait engueuler. Ils ont dit qu'ils en avaient assez de nos histoires. En France, à l'aéroport, la police m'attendait.

— Et alors?

— Ils m'ont posé des tas de questions et puis ils m'ont relâché le lendemain. J'avais rien fait de mal!»

Non, Ahmed n'a rien fait de mal, au regard de nos lois. Toute l'ambiguïté est là, prouvant à quel point nous sommes naïfs face au phénomène de l'islamisme. Ahmed, Français, car né en France, aurait pu intégrer une organisation terroriste. Sans le savoir lui-même, dans le camp des environs de Jalalabad, en Afghanistan, il était en observation. Montrant du mordant, il aurait rejoint le front, sur les lignes où les Arabes se battent aux côtés des Taliban contre l'opposition. Puis, il aurait reçu d'autres missions. Peut-être celle, comme pour les plus convaincus, de candidat à une opération suicide.

Plus inquiétant, il peut être un «agent dormant». Quelqu'un jouant l'assimilation à notre société pour se lever, un jour, sur un ordre. Les Soviétiques pratiquaient ainsi, surtout aux États-Unis, mais aussi en Allemagne. Ben Laden a repris la méthode.

Badih Karhani, un journaliste libanais, a effectué plusieurs voyages en Afghanistan chez le Saoudien. Il explique:

«Pour s'assurer que les nouveaux venus ne travaillent pas pour un service de renseignements, ils sont envoyés aux positions de combats les plus exposées. Oussama choisit les plus courageux et les mieux éduqués. Dans les maisons où il loge ses hommes, à Kandahar, en Afghanistan, ou à Karachi, au Pakistan, j'ai côtoyé des médecins, des techniciens supérieurs et des ingénieurs. Si l'on rencontre beaucoup d'Algériens, on croise aussi des Saoudiens, des Palestiniens, des Yéménites, etc. L'organisation est multinationale...»

Le système de recrutement islamo-terroriste, bien qu'informel, fonctionne comme un pipeline équipé de filtres successifs. Au départ, on «ré-islamise», comme

dans le cas d'Ahmed. Le Tabligh, une organisation islamiste née au Pakistan, d'autres du même acabit, servent de vanne d'accès. Puis, d'épreuve en cooptation,
on accède au gratin, les hommes de Ben Laden.

C'est Al-Qaida, «la base» en arabe, qui est le centre
autour duquel tourne la galaxie islamiste. D'abord en
raison de la réputation internationale de son chef, largement façonnée par les médias, ensuite grâce aux
moyens financiers dont il dispose.

Nous avons vu, dans le premier cercle d'Al-Qaida,
comme les planètes les plus rapprochées du soleil, les
organisations constituant le «Front islamique mondial
pour le jihad contre les juifs et les croisés», le Front, en
bref.

Dans le second cercle, foisonnent des groupes en
relation avec Ben Laden, mais sans liens structurels
avec lui, et disposant d'une implantation, souvent un
camp, en Afghanistan. En font partie :

– le Groupe islamique combattant (GIC) libyen,
installé dans les montagnes à une dizaine de kilomètres
au nord de Jalalabad ;

– le GIA marocain, dans le même secteur que le
GIC libyen ;

– le Mouvement d'Abou Mahab Assouri, structure
arabe indépendante regroupant des Algériens, des
Libanais, des Syriens, etc., dans les montagnes de la
périphérie de Kaboul ;

– le Groupe musulman chinois du Xinjiang, basé lui
aussi dans les montagnes de Kaboul ;

– le Mouvement islamique d'Ouzbékistan, dans une
base à Chulgareh, à 60 kilomètres au sud de Mazar-e-
Charif ;

– des groupes arabes non identifiés, dans la vallée de la Kunar, sur les pentes menant à la frontière pakistanaise.

Dans le troisième cercle, s'agitent une foule d'associations, de partis et de fondations islamiques bénéficiant des largesses du Saoudien depuis son séjour au Soudan. Parmi ces organisations, souvent abusivement placées sous l'autorité de Ben Laden par la presse occidentale, nous connaissons :

– le Jamiat islamique du Pakistan ;
– le groupe Abou Sayyaf aux Philippines ;
– le mouvement islamique de l'Ogaden en Somalie ;
– l'association Al Mouhajiroune d'Omar Bakry, basée à Londres ;
– le Comité de défense des droits en Arabie Saoudite ;
– l'Observatoire islamique de l'information de Yasser al-Siri, à Londres.

Et de nombreuses autres encore...

★<br>★ ★

Dans le dispositif général de Ben Laden, l'Afghanistan occupe le centre. Ce pays est, pour lui, le château d'Alamut s'appuyant sur son réseau de forteresses. Il faut, pour comprendre, remonter au XI<sup>e</sup> siècle.

En ces temps anciens, le monde musulman souffrait déjà de ses divisions. Quand à Bagdad régnait le calife, héritier de Mahomet et, en principe, chef de tous les musulmans, le Maroc et l'Espagne occupée s'étaient donné d'autres lignées de princes. En Égypte, par contre, dominait une dynastie d'imams chiites, les fatimides ou ismaéliens.

Dans l'empire fatimide, une querelle surgit en 1094 à propos de la succession du dernier imam. Un propagandiste religieux d'origine persane, Hassan Al Sabbah, prit alors la tête d'une sédition. S'emparant par la ruse du château d'Alamut, installé sur un piton rocheux au sud de la mer Caspienne, il en fit sa base. De là, il étendit son recrutement, puis, conquérant de nouvelles citadelles inexpugnables, étendit son influence sur des tribus montagnardes échappant à l'autorité du pouvoir central. Pour ces raisons, on l'appelait le Cheikh al-Jabal, mal traduit en français par le « Vieux de la montagne ».

Hassan Al Sabbah enseignait un islam dualiste, imprégné de croyances indiennes, affirmant le bien et le mal confondus dans le sein de Dieu. Mais, surtout, il utilisait des méthodes qualifiées aujourd'hui de lavage de cerveaux : prières répétitives, obéissance totale au chef, multiplication des interdits et obligations dans la vie quotidienne, etc.

Mais on le connaît surtout pour ses activités terroristes. Ses hommes fanatisés partaient sur ses ordres pour assassiner au poignard les chefs politiques de l'époque. Ils se jetaient sur leur victime en hurlant « Dieu est grand », puis mouraient, leur forfait accompli, sous les coups d'épée des soldats.

Il s'agissait d'attentats suicides. Du reste, les partisans de Hassan Al Sabbah se donnaient entre autres noms celui de « fidaiyyoun », signifiant « ceux qui se sacrifient ».

Marco Polo, le célèbre Vénitien, a traversé la région en 1271. Il prétendit que les fidèles du Vieux de la montagne agissaient sous l'emprise du haschich. Une histoire intéressante, mais invérifiable, vit le jour. Selon les propos de l'émérite voyageur, Al Sabbah aurait drogué ses hommes avant chaque mission. Puis, il les aurait fait déposer endormis dans de magnifiques jardins, habités par de belles jeunes filles, où «le vin, le lait et le miel coulaient à flots».

Ainsi, dit Marco Polo, les jeunes gens se réveillaient dans un décor semblable à la description du paradis selon le Coran. À nouveau drogués, et transportés dans un endroit neutre, ils n'avaient en ouvrant les yeux qu'un souhait, retourner dans ce qu'ils croyaient être le lieu d'élection des saints de l'islam. Ils acceptaient alors, selon l'histoire, de marcher à la mort dans ce seul but.

Pour cette raison, on aurait appelé les gens de cette secte les Haschischins, ou mangeurs de haschich. Le nom aurait dégénéré en Occident en «assassins», jusqu'à devenir un terme de notre langage.

La relation de Marco Polo accorde, à notre goût, un trop grand crédit à la légende. D'abord, le haschich n'a pas de vertus somnifères. Ensuite, chaque fois que des hommes ont accepté une mort certaine pour promouvoir leurs idéaux ou leur religion, leurs ennemis les ont accusés de se droguer. C'est oublier que, sous l'empire de stupéfiants, l'homme perd de ses capacités de combattant.

Et là, nous tombons sur une interrogation. Qu'est-ce qui peut pousser un homme à accepter une mort certaine à la seule fin de causer celle d'un ennemi?

Les récits passés et présents des sacrifices au nom de la patrie nous montrent les combattants, quand ils croient en ce qu'ils font, capables de tous les héroïsmes. Encore faut-il les avoir préparés, par l'éducation et la propagande. Cependant, lorsque le patriotisme sert de motivation, il sous-tend une impérieuse nécessité, la protection des proches et de la famille, de l'épouse et des enfants.

Le commando suicide, sauf le kamikaze japonais, pour utiliser des mots d'aujourd'hui, obéit à autre chose, car ses familiers ne sont pas menacés dans leur existence. On voit la haine, bien sûr, causée par un sentiment d'injustice réel ou imaginaire. On voit aussi l'idéal religieux. Encore celui-ci ne suffit-il pas.

Combien de fois avons-nous assisté à la débandade d'Afghans, musulmans convaincus pourtant, face à l'ennemi? Nous croyons qu'il faut l'appoint du ressentiment au prétexte religieux. L'un soutenant l'autre jusqu'à ne faire qu'un. Comme la voûte et sa clef de pierre défiant les lois de la pesanteur.

Encore l'aspect religieux mérite-t-il un détour. Certes, les initiateurs des commandos suicides promettent le paradis aux «martyrs». Mais, qu'est-ce que ce paradis musulman? Un lieu de stupre et de plaisir où l'on se sert des femmes à volonté? Cette promesse ne serait plus que l'équivalent du billet de banque donné à un bon garçon, du temps des maisons closes, pour aller «chez les filles». On ne peut pas vouloir mourir pour ça!

Difficile de savoir ce qui se passe dans la tête d'un commando suicide, au moment de provoquer la collision mortelle ou de déclencher l'explosion qui va le déchiqueter. On peut juste essayer de comprendre, par analogie avec le soufisme, cette version ésotérique de l'islam. Chez le soufi, tout n'est que recherche d'une fusion extatique avec Dieu. Il y procède lors de cérémonies, le *dhikr*, par des prières et parfois des danses, et l'espère définitive le jour de la mort. On est loin d'une vision matérialiste du paradis. Pour horrible que cela apparaisse, on peut imaginer quelque chose de la mystique soufie inspirant les auteurs des attentats suicides. Cependant, pour se persuader de la réalité de cette extase éternelle, jusqu'à avancer l'heure de son trépas, il faut une forte conviction. Les croyants diront beaucoup de foi. Les autres parleront de sujétion psychologique.

★

★ ★

En tout cas, les méthodes de manipulation d'Al Sabbah, le Vieux de la montagne, nous apparaissent très modernes. «La mission de ses émissaires, lit-on dans le *Dictionnaire encyclopédique de l'islam*★, était de répandre la crainte par le terrorisme et, dans le même temps, d'affaiblir leurs ennemis en assassinant des personnages politiques clefs. Les assassins infiltrèrent les rangs de leurs adversaires, souvent sous l'apparence de derviches ou de professeur de religion. Quand ils arrivaient à des postes de confiance, ils tuaient la victime qu'on leur avait désignée... Saladin lui-même échappa de peu à leur poignard et il dut, toute sa vie, se tenir sur ses gardes...»

---

★ *Dictionnaire encyclopédique de l'islam*, Cyril Glassé, Éditions Bordas.

On ne peut s'empêcher de penser à ces garçons, apparemment intégrés à la vie américaine, précipitant un jour, pour tuer, des avions de lignes sur le centre d'une ville.

L'auteur de l'article cité plus haut a des mots inquiétants pour l'avenir. «Leurs adversaires, dit-il à propos des disciples d'Al Sabbah, préféraient en fin de compte le compromis au risque de périr sous les coups de poignard d'un fidèle serviteur qui pourrait un jour se révéler une créature des Assassins...*»

À ce propos, nous ne pouvons résister au plaisir de rapporter les mots de Fakr Addin Razi. Intellectuel du XIIIᵉ, il attaquait avec véhémence la secte des assassins. Cette dernière lui donna le choix entre la pointe d'une dague et un sac d'or en échange de son silence. Ses étudiants lui demandèrent pourquoi il avait cessé ses critiques. «Je ne veux pas dire de mal d'hommes dont les démonstrations sont si pointues et les arguments si pesants», répondit-il.

Il faut craindre aujourd'hui des hommes ou des États acceptant eux aussi le compromis pour se protéger face aux menaces de Ben Laden.

Car il est bien devenu le Vieux de la montagne. Comme lui, il dirige un vaste réseau, mais ses rets s'étendent à la planète entière. À sa façon, il mondialise.

_____

* *Ibid.*

Cependant, ne lui prêtons pas plus qu'il ne mérite, car il s'insère dans un phénomène plus vaste, prenant sa source dans le conflit afghan des années quatre-vingt. Une fois les combats contre les Soviétiques et les communistes arrivés à leur terme, nombre de ces combattants arabes se démobilisèrent. Or, pour beaucoup, il n'était plus question de rentrer dans leur pays. Étiquetés islamistes, leur expérience des armes faisait peur aux régimes en place. Par goût de la guerre et par nécessité, ils se tournèrent vers de nouveaux conflits.

Parmi les premiers figure l'Algérie. À partir de 1992, des maquis islamistes se mettent en place. Qu'ils appartiennent au GIA ou au FIS, des centaines d'hommes sont passés par l'Afghanistan. Ils serviront de cadres. Citons les plus connus parmi eux : Saïd Mekhloufi, Kamareddin Kherbane, Jaffar al-Afghani, Chérif Gousmi et Tayyeb al-Afghani. Sans oublier Abdallah Anass qui s'intègre à l'état-major du FIS installé en Occident. Difficile d'accès, entre le Maroc et la Tunisie, l'Algérie reste cependant perméable aux infiltrations étrangères.

La Bosnie-Herzégovine n'est pas dans la même situation. Le 1er mars 1992, du fait de la volonté des Croates et des musulmans, un référendum sépare cette province du reste de l'ancienne Yougoslavie. Les Serbes créent alors leurs propres Républiques dans les zones où ils sont majoritaires. La guerre éclate.

Arrivant à la rescousse, les islamistes arabes affluent, jusqu'à former une unité, la 7e brigade, basée à Zenica. Elle comptera jusqu'à 2 000 hommes, des anciens d'Afghanistan mais aussi des jeunes venant du Moyen-Orient ou d'Europe, des garçons comme Christian

Caze et Lionel Dumont, Français convertis à l'islam, ou Omar Zemmiri, Franco-Algérien. Ils finiront braqueurs, dans la région de Roubaix, pour alimenter les caisses de l'islam. Le fusil dans une main, le Coran dans l'autre.

Pour acheminer les combattants jusqu'à Sarajevo, les islamistes utilisent des organisations humanitaires. On en compte près de 300, comme Islamic Relief, une structure saoudienne, l'ISRA, basée en France, ou Human Concern International (HCI), installée à Stockholm et disposant de bureaux en Croatie.

L'UCLAT (Unité de coordination de la lutte antiterroriste), organisme officiel français, a écrit dans un rapport daté du 27 décembre 1996 :

« L'accès des Afghans arabes aux camps bosniaques ou croates a été largement favorisé par les organisations caritatives islamistes... qui attisaient le conflit bosniaque et le transformaient en jihad... »

Les gens de Ben Laden sont présents. Ils utilisent les circuits de l'IIRO (International Islamic Relief Organisation) ayant pignon sur rue à Oxford (Grande-Bretagne). Ils ont en main Al Kifah, sise à New York. Créée pour apporter des secours et recruter des combattants en Afghanistan dans les années quatre-vingt, cette association a fait basculer ses activités sur la Bosnie à partir de 1993.

Le 25 octobre 2001, un mois et demi après la terrible journée du 11 septembre, les autorités bosniaques annonceront l'arrestation, sur leur territoire, d'éléments appartenant à une cellule terroriste reliée à Ben Laden.

★

★ ★

En Tchétchénie, la guerre sévit depuis décembre 1994 avec la Russie. Elle s'est interrompue en 1996 et a repris en décembre 1999. L'un des chefs de guerre, le commandant Khattab, 31 ans, Jordanien dit-on, Arabe sûrement, a lui aussi servi en Afghanistan. Extrémiste au point de refuser une femme assise à ses côtés, on le dit en relation avec Ben Laden.

Au Kosovo, en 1999, quand les forces de l'OTAN soutenaient les Albanais contre les Serbes, on a signalé dans les maquis kosovars la présence de Mohamed al-Zawahiri, frère du bras droit de Ben Laden. L'année précédente, le département d'État américain avait inscrit l'Armée de libération du Kosovo sur la liste des organisations terroristes soutenues par Ben Laden.

Cette décision est reliée à l'arrestation en 1998, en Albanie, d'un Français converti à l'islam, Claude Kader. Pendant son procès, en novembre, il a avoué être dans le pays afin d'acheter des armes et de recruter des hommes pour le Kosovo sur ordre de Ben Laden.

En Albanie, en juin et août 1998, au cours de plusieurs raids de la police effectués avec le soutien de la CIA, douze hommes appartenant au Jihad islamique égyptien ont été arrêtés pour activités terroristes. Ils étaient liés à Ben Laden par l'intermédiaire du Front créé avec Ayman al-Zawahiri. Quatre d'entre eux travaillaient sous le couvert de l'Islamic Revival Foundation, une structure caritative.

En Allemagne, en septembre 1998, les autorités ont arrêté Mamduh Mahmud Salim dans les environs de

Munich. Ce Soudanais servait d'homme de confiance à Ben Laden pour ses transactions financières.

Épluchant les dépêches de presse, nous voyons une toile se tisser devant nos yeux. On découvre partout, du Yémen aux États-Unis, de la Grande-Bretagne aux Balkans en passant par les Philippines, des pions de Ben Laden identifiés par les services de police. D'autres ont échappé aux recherches. Ils vont passer à l'offensive. Le réseau des assassins se met en branle.

## CHAPITRE 13

# Pleins feux sur l'Afrique

Né le 25 juillet 1960 dans une famille chrétienne de Saïda, au sud du Liban, Wadih el-Hage aurait pu mener une vie comme les autres. Mais il souffre d'une infirmité. Son bras droit, difforme, est plus court que le gauche. Les gosses à l'école, avec la cruauté de ceux de son âge, se moquent de lui. La famille elle-même, un peu honteuse, le néglige.

Comme beaucoup de Libanais, son père s'exile avec sa famille dans le Golfe. Il s'installe au Koweit, où il travaille dans une compagnie pétrolière. Pour Wadih, les brimades continuent. Un religieux musulman s'intéresse à lui. Il le protège et l'instruit dans la croyance de Mahomet. À 14 ans, le gosse se convertit à l'islam.

En Orient, on ne plaisante pas avec les affaires de religion. Quitter le culte de sa naissance pour un autre, c'est trahir sa communauté. Les parents de Wadih réagissent très mal. Il déserte alors la maison. Le retrouvant démuni, l'auteur de sa conversion prend en charge ses études.

À 18 ans, il embarque pour les États-Unis et rejoint l'université de Lafayette, en Louisiane. Si son zèle religieux surprend ses professeurs, ils le considèrent cependant comme un élève sans grand caractère, ne se signalant par aucun engagement politique. De taille moyenne avec son mètre soixante-dix, maigrichon, l'air effacé, il passe inaperçu.

En 1981, comme d'autres jeunes musulmans, il répond à l'appel du jihad afghan. Gêné par son infirmité, il ne monte pas sur le front, mais demeure dans l'ombre d'Abdallah Azzam, dont il a fait la connaissance aux États-Unis lors d'une conférence de ce dernier. Là, il trouve une famille, ou plutôt la chaleur du cocon d'une secte.

En janvier 1985, il regagne les États-Unis. Il se voit chargé de mission : il faut lever des fonds, trouver des recrues pour combattre contre les Soviétiques. Il fréquente assidûment la mosquée de l'imam Moataz al-Hallak, à Arlington, dans l'État du Texas. Lui aussi embauche pour l'Afghanistan. En mai 1986, le saint homme arrange pour Wadih un mariage avec une jeune musulmane de 18 ans, April, Américaine de naissance. Il s'installe alors dans l'Arizona, aux côtés de sa belle famille. En 1989, il obtient la nationalité de son épouse.

On voit là, pour les déçus et les rejetés, la force d'attraction de la société musulmane comparée à la nôtre. Chez nous, l'itinéraire est solitaire. Chez eux, on vit ensemble. Quand nous célébrons la liberté individuelle, ils font de la communauté le creuset où se dissolvent les identités particulières. On vous y prend en charge, sinon matériellement, du moins affectivement et psychologiquement. En échange, vous abandonnez l'essentiel de votre libre arbitre. Wadih a trouvé dans la communauté musulmane ce qui lui manquait. Pour le reste de sa vie, il va associer l'islam au sentiment de quiétude procuré par cette prise en charge. Quand il défend la religion de Mahomet, en réalité il protège sa propre sérénité, son équilibre, son moi. Le Coran et son corpus de règles et de lois sont devenus sa coquille. Wadih n'a plus de questions, mais des assurances. Il est dépendant de ceux qui parlent au nom de l'islam et vont désormais décider pour lui.

★

★ ★

Son échec dans la vie professionnelle renforce cette dépendance. Malgré ses diplômes universitaires, il ne trouve que des emplois rémunérés au salaire minimum. Par contre, effectuant plusieurs voyages au Pakistan, où il entraîne sa femme et sa belle-mère dans le cadre de missions humanitaires, il se sent important. Il donne des cours, brille par sa connaissance du Coran et se voit entouré.

A-t-il alors prêté serment d'allégeance à Ben Laden quand celui-ci, en 1988, fonde Al-Qaida ? En tout cas, un parfum de violence s'attache désormais à ses pas.

À Tucson, ville d'Arizona, sévit un imam dont les islamistes réprouvent le comportement. Crime impardonnable aux yeux de ces puristes, il autorise les hommes et les femmes à prier ensemble et déclare superflu le port des vêtements traditionnels de mode orientale. Au début de l'année 1990, un émissaire envoyé par la communauté intégriste de New York vient effectuer une inspection. Homme de haute taille, chiche de ses mots, il se fait accompagner par Wadih dans la mosquée de l'imam contesté.

Quelques semaines plus tard, on retrouve celui-ci assassiné dans sa cuisine. Puis Wadih s'installe avec sa famille à Arlington (Texas). À la même époque, il est compromis dans une affaire d'achat d'armes destinées à assassiner le rabbin extrémiste Meir Kahane. Enfin, le 1er mars 1991, une association musulmane d'aide aux anciens combattants d'Afghanistan, sise à Brooklyn, le recrute. Le jour de son arrivée, le chef de l'organisation, Mustafa Shalabi, disparaît. On retrouve son corps mutilé dans l'appartement de l'un de ses associés. Le crime ne sera jamais élucidé.

Au printemps 1992, Wadih s'installe au Soudan avec sa famille. Pourquoi cette migration vers un pays déshérité? On comprend quand il devient le secrétaire particulier de Ben Laden. Preuve d'une complicité de longue date entre les deux hommes. Il reçoit un salaire de 1 200 dollars par mois, environ 8 000 francs, une fortune au Soudan.

April, musulmane pratiquante, accepte sans rechigner les activités militantes de Wadih. Mais, réagissant en Américaine, elle trouve que la vie de Khartoum manque d'agrément. De son côté, Ben Laden estime que la jeune femme exerce, à son goût, une trop influente emprise sur son époux. Pour la contrebalancer, il invite

Wadih à prendre une seconde épouse. Il lui offre même de servir d'intermédiaire pour le choix de l'élue et les négociations matrimoniales. April, pour le coup, se rebelle. Wadih se sent écartelé entre l'affection qu'il lui porte et la loyauté due au chef. Ben Laden, subtil quand il faut manipuler les hommes, fait alors mine de céder. Le déchargeant en apparence de ses fonctions, en 1994, il envoie son secrétaire s'établir à Nairobi, au Kenya, avec sa famille. Et là commence une nouvelle histoire.

★

★ ★

En dépit des affirmations de tous, y compris les siennes, Wadih continue de travailler pour Ben Laden. Il est un pion dans le dispositif planétaire de son patron, la tête de pont en Afrique orientale pour ses affaires licites et illicites.

Le choix du Kenya a son importance. Côtier de l'océan Indien, ce pays africain compte 73 % de chrétiens, sur une population de 29 millions d'individus, et seulement 6 % de musulmans. Une réalité inadmissible aux yeux des organisations islamistes, qui voudraient voir l'Afrique entière passer au régime mahométan.

Wadih, sur ordre de Ben Laden, prend en main la direction de Help Africa People, une organisation présentée comme humanitaire, chargée en fait d'étendre l'islamisation à coups d'espèces sonnantes et trébuchantes. Sous prétexte d'une campagne d'éradication du paludisme, elle paye les conversions à ceux qui amènent de nouveaux adeptes à l'islam.

165

Il travaille aussi comme courtier dans le commerce des pierres précieuses. Là, surprise, l'un des bureaux installés dans cette région de l'Afrique par Ben Laden vend des lapis-lazuli, une pierre semi-précieuse d'un bleu intense dont les émirs du golfe aiment à garnir leurs salles de bains. Or, même si l'on en trouve dans l'Est africain, l'Afghanistan reste le premier producteur de lapis-lazuli. On devine une affaire de contrebande, pour écouler une production illégalement exportée du pays des Taliban.

Comme par hasard, Wadih est associé avec un certain Ubaidah al-Panchiri, dont le nom signale une relation avec le Panchir, région d'Afghanistan d'où provient le lapis-lazuli. Il est aussi l'un des responsables militaires d'Al-Qaida. Mais ces gens n'ont pas que des activités caritatives ou commerciales. Derrière ces couvertures, ils préparent des attentats.

★<br>★ ★

D'autres pions se mettent en place. Mohammed Sadiq Odeh, un Palestinien d'origine né en Arabie Saoudite le 1ᵉʳ mars 1965, a lui aussi combattu contre les forces communistes en Afghanistan. Comme Wadih, dès 1994 il s'installe au Kenya, dans la région de Mombasa, où il met sur pied une entreprise de pêche avec un bateau acheté sur les fonds d'Al-Qaida. Puis, cet expert en explosif épouse une jeune femme kenyane d'origine arabe et se fond dans le paysage.

Haroun Fadhul, âgé d'une vingtaine d'années et né aux Comores, s'installe dans la maison de Wadih au printemps 1996. À cette époque, Al-Panchiri, l'associé de Wadih, se noie dans le naufrage d'un ferry-boat sur le lac Victoria, à la frontière de la Tanzanie. Un pays où, justement, se met en place une autre cellule, avec Ahmad Khalfan, né en 1973 dans l'île de Pemba, au large de la Tanzanie, et Moustafa, un Égyptien non identifié, chef du groupe. Ils ont tous les deux fait le coup de feu en Afghanistan.

Huit étrangers et cinq nationaux du Kenya et de Tanzanie vont former deux équipes pour préparer les attaques contre les ambassades américaines de Nairobi et Dar es-Salam, en Tanzanie. Elles auront lieu en août 1998. On les voit pourtant concocter leurs plans dès 1994, en installant sur place les premiers éléments du complot. Tout manque d'échouer.

★
★ ★

Fin 1996, après le départ de Ben Laden du Soudan et sa réinstallation en Afghanistan, le département d'État américain, en présence d'un fonctionnaire de la CIA, reçoit à Washington un officier soudanais. Les pressions exercées sur le gouvernement de Khartoum leur permettent de recevoir les noms de 200 collaborateurs du Saoudien. Parmi eux, celui de Wadih.

★
★ ★

En août 1997, la belle-mère de celui-ci arrive à Nairobi pour rendre visite au couple et à leurs sept enfants. «J'étais arrivée depuis une douzaine d'heures, raconte-t-elle, quand on frappe à la porte d'entrée. Quand j'ai ouvert, ce fut comme une tornade. La police locale et des agents du FBI américain se sont emparés des lieux... Wadih n'était pas là, il effectuait un voyage en Afghanistan pour acheter des pierres précieuses...»

Les policiers prétendent enquêter sur une affaire de vol. À ce titre, ils font la razzia des documents qu'ils trouvent et emportent l'ordinateur. Puis, les officiers américains prennent les deux femmes à part : « L'endroit n'est pas très sain pour vous, expliquent-ils, vous devriez rentrer aux États-Unis sans attendre.» Terrorisée, April panique. Elle a peur pour ses enfants et refuse de partir sans Wadih.

Deux jours plus tard, il rentre d'Afghanistan et, à peine arrivé à l'aéroport, est intercepté et interrogé par la police. Les autorités lui ordonnent de quitter le pays. Un mois plus tard, en septembre, Wadih embarque pour les États-Unis avec sa famille. Il a dû vendre tout ce qu'il possédait sur place pour payer les billets d'avion.

Dans l'ordinateur emporté par le FBI aux États-Unis, les enquêteurs découvrent une lettre. Elle est écrite par un tiers, mais l'auteur parle au nom d'un certain Abdel Sabbur. Un pseudonyme transparent, puisqu'il s'agit de celui utilisé par Wadih en Afghanistan, pendant la guerre contre les Soviétiques.

On découvre dans ce courrier une manière de s'exprimer assez peu courante dans les milieux d'affaires.

« Il y a de nombreuses raisons qui nous amènent à croire les membres de notre cellule est-africaine en grand danger, lit-on, ce qui nous oblige à travailler dur pour faire échouer les plans de l'ennemi occupé jour et nuit à nous trouver et à collecter des informations sur nous... »

« Comme nous l'avons entendu, vu et lu, continue le document, le Hajj [Ben Laden] a déclaré la guerre à l'Amérique. Ce qui vous a été confirmé quand vous avez vu l'interview donnée à Jalalabad [en Afghanistan] par le Cheikh [autre surnom de Ben Laden]. Il déclarait :

– la guerre contre les États-Unis parce qu'ils se sont donné eux-mêmes le rôle de gendarmes du monde ;

– d'une part sa non-implication dans les deux attentats perpétrés en Arabie Saoudite, de l'autre la satisfaction que lui procure cet événement... »

Plus loin, la lettre confirme l'importance stratégique du Kenya pour Ben Laden :

« On sait, le Kenya étant la principale porte d'entrée des membres de la cellule, qu'il faut un centre dans ce pays. Nous avons cependant un problème, car notre sécurité y est très mauvaise... Nous sommes convaincus à cent pour cent que les services de renseignements kenyans sont au courant de notre présence... »

Une phrase a dû, ou aurait dû, faire dresser les cheveux sur la tête des officiers du FBI :

« Le temps est venu d'aller plus loin... »

★

★ ★

Pourtant, Wadih, rentrant aux États-Unis, s'installe sans problème dans la banlieue d'Arlington. Ne trouvant pas d'emploi à la hauteur de ses diplômes, pour nourrir sa famille il prend un travail dans un magasin commercialisant des pneus, la «Lone Star Tire Store». Encore doit-il se démener pour obtenir cette place en dépit de son infirmité. Nous l'imaginons haïssant en silence cette société qui le rejette. Quelle différence, croit-il, avec ses frères musulmans.

Il fréquente régulièrement la mosquée. Ses enfants intègrent une école musulmane. Dans le minuscule appartement où ils habitent, il leur enseigne les versets du Coran. Ses voisins le disent travailleur et dévot. À l'atelier, l'un de ses collègues affirme qu'il «est devenu une sorte de leader religieux, quelque chose comme un imam conduisant parfois la prière...»

Dans le silence de son cœur, il attend. Ses amis, au Kenya et en Tanzanie, poursuivent la mission de mort qu'il a entreprise.

★<br>★ ★

Au printemps 1988, les préparatifs s'accélèrent. À Nairobi, au mois de mai, les comploteurs louent une propriété dans un quartier résidentiel de la ville, au 43, Runda Estates. L'endroit, protégé par de hauts murs, est complètement isolé de l'extérieur. Impossible de voir ce qui s'y passe. Un mois plus tard, ils signent un contrat pour une autre maison, présentant les mêmes qualités de discrétion, dans le district de Illala, à Dar es-Salam, en Tanzanie.

PLEINS FEUX SUR L'AFRIQUE

Puis, avec 500 kilos de TNT importés d'Angola, la bande monte les bombes dans les garages des maisons. Saleh, un Égyptien d'une trentaine d'années, dirige les opérations. Abdul Bary et Abdelhadi Eidaros, citoyens égyptiens, coordonnent les actions depuis Londres. Le 4 août, les comploteurs basés en Afrique effectuent les dernières reconnaissances autour des deux objectifs : les ambassades américaines du Kenya et de Tanzanie. Le 5, les bombes une fois installées sur les véhicules, Odeh, l'artificier palestinien, branche les fils reliant l'explosif et le système de mise à feu. Puis, un à un, les principaux organisateurs quittent le Kenya et la Tanzanie. Ils laissent sur place les exécutants chargés de mettre en place les machines infernales. Odeh, pour sa part, prend l'avion la veille au soir de l'attaque.

Le 7 août au matin, deux véhicules quittent le 43, Runda Estates à Nairobi. Le premier guide le second sur l'objectif puis s'esquive à son approche. Dans le camion porteur de la bombe, deux garçons. Azzam, le chauffeur, et Daoud al-Ouhali, né le 18 janvier 1977 à Liverpool de parents saoudiens.

Arrivé devant le poste de garde de l'ambassade, Daoud bondit de la cabine et jette une grappe de grenades artisanales en direction des sentinelles. Pour les empêcher de réagir, comprend-on, et approcher le véhicule au plus près des bâtiments. Il devrait, selon les ordres reçus, rester sur les lieux. Mais il ne se sent plus une âme de commando suicide. Le paradis, ce sera pour plus tard. Il s'enfuit à toutes jambes. À 10 h 40, Azzam saute avec les 250 kilos de TNT. 247 personnes sont tuées, dont 12 Américains, 4 500 blessés sont traités dans les hôpitaux.

171

Au même moment, à Dar es-Salam, la même scène se déroule. Hamdan Khalif Allah Awad, dit Ahmed l'Allemand, un Égyptien né le 13 août 1970, meurt lui aussi, déchiqueté par l'explosion sur le siège de son véhicule. On compte 10 morts, tous Américains, et 74 blessés.

Le 7 août 1998 correspond au huitième anniversaire des sanctions décrétées par les Nations unies contre l'Irak. Faut-il voir un message dans cette coïncidence des dates?

★
★ ★

Sonné, Washington ne peut imaginer pire désastre émanant d'une cellule terroriste. Et pourtant!

Néanmoins, l'appareil réagit. Wadih est arrêté à Arlington. Devant les juges, le 15 septembre, sur une photo il prétend ne pas reconnaître Odeh, qu'il a pourtant rencontré à Nairobi. Il jure même ne rien connaître du décès de Al-Panchiri. Il a pourtant assisté aux recherches de son corps dans l'épave du ferry-boat, échoué au fond du lac Victoria.

Le jour même de l'explosion, Odeh est intercepté à la frontière pakistanaise porteur d'un faux passeport yéménite. Il voulait se rendre en Afghanistan pour faire son rapport à Ben Laden. La police le cuisine. Il admet son rôle dans l'opération des ambassades.

Daoud, le jeune Saoudien rescapé de l'explosion, est arrêté à l'hôpital de Nairobi où il faisait traiter des blessures causées par les éclats de la bombe.

Mais le meilleur reste à venir.

★

★ ★

L'un des inculpés révèle à la police le nom d'un
«consultant» américain, venu sur les lieux des attentats
pour donner des conseils. Il s'appelle Ali Mohamed et
a servi comme sergent chez les Bérets verts, les Forces
spéciales des États-Unis, à Fort Bragg.
Âgé de 45 ans au moment des faits, c'est un ancien
commandant des troupes terrestres égyptiennes. Arrivé
aux États-Unis en 1985, il a obtenu quasi immédiatement la nationalité américaine. En 1986, il s'enrôlait
dans l'armée de son nouveau pays jusqu'en 1989. Faut-
il le croire déçu, lui l'ancien commandant, de végéter
au rang de sous-officier ? En tout cas, à partir de 1990,
il met son expérience au service de Ben Laden. Il
entraîne des hommes d'Al-Qaida aux techniques de
renseignements en Afghanistan, puis au Soudan.
À la demande de Ben Laden, il a effectué des
reconnaissances et des observations sur des cibles américaines, britanniques et françaises à Nairobi. Il a
transmis des schémas et des graphiques d'objectifs
potentiels à celui-ci à Khartoum. Sur une photo de
l'ambassade des États-Unis, il a indiqué l'endroit où
devrait être placé un camion piégé pour causer le plus
de dégâts possibles.
Le 4 novembre 1998, le Grand Jury fédéral du district sud de New York inculpe Oussama Ben Laden
pour le meurtre de citoyens américains hors des États-
Unis. L'ennemi est officiellement identifié. Pour faire
bonne mesure, le gouvernement offre une prime de
5 millions de dollars (35 millions de francs), pour la

capture du Saoudien. Ce dernier a obtenu ce qu'il voulait, une «reconnaissance de haine internationale».

Mais une question vient à l'esprit. On voit les responsables d'Al-Qaida pratiquer avec professionnalisme pour se donner des couvertures ou préparer leurs attentats. Pourquoi, dès lors, après les attaques, tant d'indices et de preuves laissés derrière leurs auteurs? Les appels téléphoniques repérés par les services de renseignements, les documents permettant d'identifier les coupables et, à la fin, certains témoins parlant sans contrainte et permettant de remonter à Ben Laden.

Comme s'il laissait ces indices et ces preuves pour signer ses crimes. On voit là son point faible, l'orgueil.

# CHAPITRE 14

# La fuite en avant

Le 12 août 1998, Bill Clinton réunit une cellule de crise constituée de ses conseillers les plus proches. Sont présents Madeleine Albright, pour les Affaires étrangères, William Cohen, pour la Défense, George Tenet, patron de la CIA, Henry Shelton, en tant que chef de cabinet, et Dick Clarke, haut responsable de la lutte contre le terrorisme. Selon les services de renseignements, Ben Laden se serait procuré des armes de destructions massives : du matériel chimique, biologique et nucléaire. On peut craindre que l'Irak communique ses connaissances en la matière.

Déjà en 1996, Mohamed al-Fadi, fuyant Al-Qaida après avoir volé de l'argent à Ben Laden, avait signalé l'achat par l'organisation d'un tube d'uranium venant d'Afrique du Sud pour la somme d'un million et demi de dollars (10 millions de francs). L'information sera confirmée à plusieurs années de distance devant le tribunal du district sud de New York.

La CIA, pour sa part, a appris que des contacts avaient été noués entre les gens de Ben Laden et des ressortissants des anciennes républiques d'Union soviétique pour acheter des armes nucléaires. *Al Hayat*, journal en langue arabe publié à Londres, confirmera les soupçons de l'agence deux mois plus tard.

Dans le même temps, on signale Ben Laden finançant les études universitaires de jeunes musulmans en physique nucléaire, en biologie et en chimie. Les trois domaines privilégiés pour former des techniciens capables de mettre en œuvre des armes de destruction massive.

À l'écoute de ces informations, c'est l'affolement dans le bureau ovale. Au moins pour donner un coup de pied dans la fourmilière, il faut répliquer aux attentats contre les ambassades, et vite. Mais où et comment?

Faute de trouver autre chose, deux cibles sont proposées et adoptées. Les camps d'entraînement utilisés par les hommes de Ben Laden, en Afghanistan, et une usine pharmaceutique soudanaise. Celle-ci est donnée par des renseignements, non confirmés, comme le lieu de production de gaz de combat pour Al-Qaida.

Le 20 août, une semaine plus tard, 75 missiles de croisières américains Tomahawk partent de navires positionnés en mer Rouge et en mer d'Oman. Au Soudan, ils détruisent l'usine Al Chifaa. En Afghanistan, ils touchent six bases construites par Ben Laden, à Jawar, dans la région de Khost, et dans les environs de Jalalabad.

Bilan, un énorme incendie ravage l'usine qui produit 50 % des médicaments consommés par la population soudanaise. Les Américains ne parviendront jamais à prouver que le site hébergeait une unité de fabrication de gaz toxiques. En Afghanistan, les missiles tuent principalement des étrangers, en particulier des Pakistanais s'entraînant à la pratique des armes pour partir combattre au Cachemire indien. On relèvera 21 à 26 morts, selon les rapports, et une trentaine de blessés. L'espoir des Américains de tuer Ben Laden est déçu.

En tout cas, battant de l'aile depuis plusieurs mois, le projet de construction d'un pipeline reliant le Turkménistan au Pakistan, à travers l'Afghanistan, est enterré.

Cependant, on se souvient que Mollah Omar était en conflit avec son hôte saoudien et n'approuvait pas ses contacts avec la presse. Confronté à l'attaque de Washington sur son territoire, il réagit en Afghan. On a violé son espace, peu lui importent les raisons. Son hostilité envers l'Amérique est désormais irréductible. Plus question désormais de négocier d'une quelconque façon, comme en avril 1998, quand les autorités afghanes avaient reçu une délégation américaine conduite par Bill Richardson, ambassadeur des États-Unis auprès de l'ONU.

L'erreur psychologique de Washington pousse un peu plus l'Afghanistan et les Taliban au repliement. Elle les rapproche de Ben Laden.

★

★ ★

Ayant perdu le contact avec les représentants de Mollah Omar, les États-Unis font alors appel à leurs alliés saoudiens pour obtenir des Taliban la livraison de Ben Laden. Fin septembre 1998, mettant en évidence l'importance de l'affaire, le prince Turki Ben al-Fayçal, patron des services de renseignements du royaume, fait lui-même le déplacement.

Il en veut à Ben Laden, son ancien protégé, d'exposer l'islam à la colère des États-Unis. Il n'aime pas ce pays, mais il sait le manœuvrer, du moins le pense-t-il. Ah! si Oussama l'avait écouté, regrette-t-il, comme fasciné par la personnalité trouble de son compatriote.

Son face-à-face avec Mollah Omar relève de l'anthologie de la diplomatie. Ils se regardent tous deux en silence. Lui, le prince de la maison des Saoud, a dû s'asseoir sur le tapis, à la mode afghane. L'odeur de transpiration qui imprègne la pièce l'insupporte. Avec discrétion, il porte à son nez un mouchoir parfumé. Puis, se rappelant à l'humilité qui convient à tout bon musulman, il va jusqu'à sourire à son interlocuteur. Cet homme dont l'œil unique semble vouloir vous tuer.

Dieu sait qu'il met les formes.

«À vous, Moudjahid, défenseur de l'Islam devant l'Éternel, les États-Unis demandent avec insistance, explique-t-il, l'extradition d'Oussama Ben Laden d'Afghanistan. Ils savent que son organisation est coupable d'attaques cruelles contre leurs ambassades et...

Mollah Omar lui coupe la parole:

– Si vous parler au nom des Américains, assène-t-il, permettez-moi de parler au nom de Ben Laden...»

La suite, l'interprète pâlit en l'entendant. Il refuse d'abord de traduire. Il faut l'insistance du chef des

Taliban pour l'obliger à s'exécuter. En entendant les propos tenus, le chargé d'affaires saoudien en place à Kaboul qui est venu accompagner le prince Turki fait un bond.

«Tout chef de l'Afghanistan que vous soyez, explose-t-il, vous ne pouvez parler ainsi à un représentant de la famille des protecteurs de La Mecque, premier lieu saint de l'Islam. Vous oubliez ce que vous devez à notre pays...»

Mollah Omar, le ton glacial, l'insulte à peine retenue, invite Turki à ramener dans son désert ce «chargé d'affaires insolent qui ne sait pas se tenir devant les représentants de Dieu sur terre...»

Au retour de la délégation chez elle, les autorités saoudiennes exigent des excuses de Mollah Omar. Celui-ci, désormais ferme sur sa position d'orgueil, refuse. Le 24 septembre, Riyad réagit en expulsant le chargé d'affaires afghan. Le jour suivant, le prince Abdallah, représentant le roi, se rend à Washington pour rencontrer les autorités américaines. Sans attendre, la presse saoudienne, jusque-là élogieuse à l'endroit des «Taliban défenseurs de l'islam», les traite de bandits sans foi ni loi. Kaboul vient de perdre son seul soutien avec le Pakistan.

Tout à sa colère, Mollah Omar ne se rend pas compte qu'il s'enferme dans un piège.

La situation empire encore. Ayant repris Mazar-e-Sharif, la capitale du Nord, au début du mois d'août, les troupes Taliban massacrent les populations chiites de la ville, étendant leurs exactions aux quelques diplomates iraniens présents sur les lieux. Téhéran masse ses troupes à la frontière, menaçant d'envahir son voisin.

Ben Laden met lui aussi de l'huile sur le feu. Il lance une nouvelle campagne de presse. Il reçoit Al-Jezira, jeune télévision d'information du Qatar, née en 1996, que sa liberté de ton a placée en tête de l'écoute des chaînes arabes. Puis il convoque Rahimullah Yusufzai, journaliste pakistanais du *News*, un représentant de *Time Magazine* et John Miller de la chaîne américaine ABC. Avec ostentation, dans la tradition des princes du désert, il les reçoit sous une tente plantée dans la région du Helmand.

Il a bien choisi son moment, les fêtes de fin d'année, pour répéter son message appelant «à combattre et tuer les Américains et les Britanniques». Comme à son habitude, il nie toute responsabilité dans les attentats commis contre les deux ambassades américaines. Mais exprime son «admiration pour ces attaques et son appui à l'auteur de toute action militaire contre les forces américaines»...

Il admet cependant connaître quelques-unes des personnes accusées par les États-Unis. «Ce sont des hommes sincères, commente-t-il, et je les tiens dans la plus haute estime.»

La crispation diplomatique de Mollah Omar, ajoutée à la provocation de Ben Laden et à la mauvaise humeur de Téhéran, risque de provoquer l'implosion de la région. Dans les hautes sphères mondiales, on décide de calmer le jeu. Un diplomate d'origine algérienne, Lakhdar Brahimi, est dépêché à Téhéran par les Nations unies. Il désamorce la crise entre l'Iran et l'Afghanistan.

★

★ ★

LA FUITE EN AVANT

De son côté, le prince Turki joue son joker, la mère de Ben Laden. Il les sait très proches et en liaison téléphonique régulière, en dépit de l'exil d'Oussama. Jusqu'ici, Turki s'est toujours opposé à une rencontre entre elle et Ben Laden. Il lui interdit de voyager à l'étranger. Il espérait, coupant le fils de la mère, voir Oussama faire amende honorable afin de rentrer en Arabie Saoudite. Désormais, il est sans illusion. En provoquant une rencontre, il tente sa dernière chance. Turki fait les choses en grand seigneur. Il affrète un avion spécial pour le déplacement et fait accompagner la mère par l'époux qu'on lui a donné depuis la mort du père de Ben Laden. Il l'a probablement menacée. Du moins cela ressort-il des propos qu'elle tient à son fils. Elle a peur de le voir assassiné. Sans doute craint-elle de se voir interdire les contacts téléphoniques. Une femme compte pour si peu en Arabie Saoudite !

Ben Laden retrouve sa mère avec joie. L'une des seules qu'il s'accorde dans cette vie de privation toute tournée vers sa passion de mort. Sans doute pleure-t-elle, le supplie-t-elle même de cesser son jeu de défi. Mais il ne cède pas. Elle rentre chez elle, contente d'avoir revu son fils après neuf ans d'éloignement, mais bredouille.

Furieux, le prince Turki ordonne l'exécution de Ben Laden. Une bande de mercenaires, composée d'Afghans, de Pakistanais et de Saoudiens, reçoit pour mission de le trouver et de se saisir de lui mort ou vif. Plutôt mort que vif. Le groupe est intercepté par les Taliban. Interrogés, les prisonniers parlent et dénoncent leur commanditaire.

★

★ ★

Se rendant compte de l'impasse où ils se sont mis, les responsables Taliban finissent par persuader Mollah Omar de favoriser une solution. On assiste alors à une grotesque opération de désinformation. Début février 1999, Ben Laden organise un convoi au départ de Kandahar. La presse est largement informée. Puis il disparaît. Les journaux pakistanais font courir le bruit de sa fuite pour un nouveau pays. On parle de Doubaï, de l'Irak, de la Tchétchénie et même des Philippines. Comme si un seul pays au monde voulait s'embarrasser d'un hôte aussi dangereux ! Les Taliban jouent les innocents, prétendant avoir perdu sa trace.

Quelques semaines plus tard, on le localise dans un camp des environs de Jalalabad. Cependant, pour quelques mois, ses protecteurs parviennent à le maîtriser en l'obligeant au silence dans les médias.

Au cours de la première partie de l'année 1999, on semble s'acheminer vers une solution pacifique. Des accords sont passés entre les Taliban et leurs adversaires à l'intérieur de l'Afghanistan, les chefs de l'alliance dirigée par Ahmad Chah Massoud. Des relations de bon voisinage sont initiées avec l'Iran, le Turkménistan et la Chine.

Il y a du cynisme dans le jeu de Mollah Omar, mais on peut considérer cela comme une ouverture, à l'aune des relations internationales. Depuis sa prise de contrôle de la plus grande partie du pays, le gouvernement des Taliban n'est reconnu par aucun État, à part le Pakistan, l'Arabie Saoudite et les Émirats arabes unis.

Cela froisse Mollah Omar. Il offre, en échange d'une reconnaissance de son régime par les Nations unies, d'éradiquer la culture du pavot, dont l'Afghanistan est devenu le premier producteur mondial.

Peut-on alors, par le jeu diplomatique, obtenir des Taliban, au moins, la neutralisation de Ben Laden? On ne le saura jamais, car les États-Unis exercent à nouveau une pression maximum.

★
★ ★

Le 15 octobre, ils obtiennent du Conseil de Sécurité de l'ONU une demande d'extradition en règle du Saoudien. En réponse au refus des Taliban, les Nations unies votent des sanctions contre l'Afghanistan. Elles concernent principalement les importations d'armement.

Des interdits sans grande signification pour un pays pauvre où la contrebande est un sport national. Mais Mollah Omar se sent à nouveau piquer dans son orgueil. Il menace les États-Unis:

«Vous connaîtrez des tremblements de terre et des tornades d'Allah, Allah le tout-puissant, et ensuite vous serez surpris de ce qui vous arrive», annonce-t-il.

Mais qui peut permettre l'accomplissement de cette prophétie? Le chef des Taliban dispose d'une ressource, sur son territoire: Ben Laden. Les menaces et les pressions américaines ont provoqué l'inverse de l'effet recherché. Au lieu d'opposer le chef des Taliban et celui d'Al-Qaida, elles les rapprochent. À partir de cette date, la suite des événements devient inéluctable.

★
★ ★

Les signaux préoccupants se multiplient.

Le 14 décembre 1999, les Américains arrêtent un homme arrivant du Canada sous le nom de Benni Antoine Noris. Il utilise de faux papiers. Algérien de nationalité, âgé de 32 ans, il s'appelle en réalité Ahmed Ressam. Il transporte avec lui 59 kilos d'explosif et des minuteries. L'enquête met en évidence ses relations avec Al-Qaida.

Le 3 janvier 2000, un petit bateau chargé d'explosif se détache d'un quai du port d'Aden, au Yémen. À bord, les deux hommes dirigent l'esquif sur le *USS Sullivans*, un destroyer américain en rade. À quelques mètres de la terre ferme, trop chargé, la barcasse sombre. Ses deux passagers n'ont que le temps de plonger. Ils n'iront pas au paradis ce jour-là.

Ils ne perdent cependant pas espoir. Ils remettent à flot le petit bateau mais, nouvelle déconvenue, ils déplorent la disparition du moteur. Ils parviennent à le racheter à leurs voleurs. Ils arrivent même à récupérer les explosifs sans alerter les autorités. On jauge là l'insécurité d'un bassin où relâche pourtant un navire de l'Oncle Sam. Puis, l'un des deux hommes, Fahd al-Quso, contacte un émissaire de Ben Laden et reçoit 5 000 dollars (35 000 francs) pour refinancer l'opération.

Fin septembre 2000, les comploteurs sont à nouveau prêts. Il reste à attendre le passage d'un vaisseau de combat américain.

L'occasion se présente début octobre, quand le commandement du *USS Cole*, un autre destroyer de la Navy, annonce aux autorités portuaires d'Aden son intention de relâcher cinq à six heures dans la rade, pour faire le plein de carburant. Infiltré dans la capitainerie, on suppose un complice des terroristes les informant.

★

★ ★

À 12 h 10, le 12 octobre, le *USS Cole* approche le quai en douceur. Les vitres du poste de commandement jouent avec le soleil renvoyant des flashes de lumière. Les uniformes blancs s'agitent sur le pont. L'équipage largue les amarres. Des hommes à terre s'en saisissent pour les fixer aux bittes d'amarrage. À ce moment précis, un canot pneumatique Zodiac s'élance sur les eaux. Deux hommes le pilotent. Tout le monde les croit associés à la manœuvre du navire. Ils se collent à lui.

Soudain, une violente explosion fait vibrer l'air surchauffé. Il est 12 h 15. Une brèche d'une dizaine de mètres s'est ouverte dans la coque. La charge, environ 300 kilos de C-4, un plastic à usage militaire, tue 17 marins. Les deux terroristes sont déchiquetés, une quarantaine d'hommes blessés. L'un des deux candidats au suicide s'appelait Abd al-Mohsein al-Taifi, de nationalité yéménite. Le second n'a pas été identifié.

Le cheikh Omar al-Bakri se présente comme le correspondant de Ben Laden à Londres. Il prétend avoir reçu un appel téléphonique d'individus disant appartenir à l'Armée de Mahomet, qui auraient revendiqué l'attentat. Une autre revendication est adressée au bureau de Beyrouth de l'AFP, au nom des Forces islamiques de dissuasion. On n'a jamais entendu parler de ces organisations. Il s'agit seulement, pour les commanditaires, de signer du nom de l'islam.

Ben Laden, selon son usage, dément toute implication dans l'affaire mais donne sa caution morale « aux courageux défenseurs de l'islam » auteurs du crime. À quelques mois de là, il va même en faire le thème central d'un show au goût douteux.

★

★ ★

L'occasion, c'est le mariage de Mohamed, sixième de ses seize enfants. Le garçon a 19 ans. Il épouse en grande pompe une fille d'Atef, le chef militaire d'Al-Qaida. La mariée, Aïcha, vient d'avoir seize ans.

Il faut voir la scène. Nous sommes le 9 janvier de l'année 2001. Une tente d'une vingtaine de mètres de long a été dressée sur le sommet d'une colline à deux heures de route de Kandahar. Au loin, on voit le désert qui s'étend jusqu'à l'Iran et au Pakistan.

Rouge et ocre, les tapis afghans recouvrent le sol. Rangés en cercle, les invités sont assis sur des « touchaks », sortes de matelas de cinq ou six centimètres d'épaisseur rembourrés avec de la laine. Devant eux, des nappes blanches surchargées de pièces de moutons, des poulets importés du Pakistan et, venus de latitudes à la température plus clémente, d'énormes plateaux de fruits. Donnant un petit air corse au décor, deux hommes masqués tiennent l'assemblée sous la protection de leurs armes. Le gotha du terrorisme mondial est là, emmitouflé dans des couvertures, car la température ne dépasse pas les quinze degrés. Parmi les invités on reconnaît les principaux chefs des Taliban, Al-Zawahiri, bien sûr, mais aussi les leaders des différents mouvements islamistes présents dans les camps afghans, quelques-uns même venus de l'étranger. Deux des frères de Ben Laden et l'une de ses sœurs se sont aussi joints à la fête. Ils se seraient glissés dans un avion de Pakistanais rentrant du pèlerinage à La Mecque.

Entre son père, vêtu à la saoudienne, en blanc comme lui, et son beau-père, portant une abaya noire, Mohammed triomphe. L'auteur de ses jours est très malade. On le dit souffrant d'un problème de reins, peut-être même serait-il diabétique. Âgé de 44 ans, on lui donne quinze années de plus. L'adolescent, aujourd'hui à la place d'honneur, pourrait succéder au maître d'Al-Qaida. Déjà, il aime à faire le coup de feu et sa jeunesse trouve dans la haine de l'Amérique un exutoire.

La surprise vient à la fin du repas. Ben Laden se lève. Le brouhaha des conversations cesse. Écartant les bras d'un geste débonnaire, un tantinet cabotin, il fait jouer dans l'air les vastes manches de son habit. On retient son souffle dans l'assistance.

Il reste quelques instants silencieux, comme attendant le retour de l'inspiration créatrice, puis il dit un poème, ou du moins ce qu'il prend pour tel. Il prononce en zézayant légèrement, quand il contrôle mal sa langue. Personne n'oserait cependant en plaisanter.

« Elle navigue sur les flots, déclame-t-il, escortée par l'arrogance, la prétention et le faux pouvoir. Elle va lentement vers son tragique destin... Vos frères, à l'Est, préparent leurs armes. Les chameaux de guerre prêts à faire mouvement... »

Il y a du Néron chantant ses odes devant Rome en feu chez cet homme. Sans pousser aussi loin la référence historique, les assistants au mariage ont reconnu l'allusion au *USS Cole*. Ils s'en amusent car tout le monde, ici, croit Al-Qaida responsable de l'attaque contre le bateau américain.

Promue chroniqueuse de cour, Al-Jezira, la chaîne du Qatar, filme les agapes. Elle diffusera les images sans le son. Ses journalistes parlent de la production poétique lue ce jour-là par Ben Laden comme d'une longue raillerie à l'adresse des États-Unis.

Les rejetons du Saoudien ont de qui tenir. Hamza, un autre de ses fils, âgé de 10 ans, brûle à son tour les planches, ou plutôt les tapis. Dans ses vers, il prophétise : « Je suis en train de prévenir l'Amérique que son peuple va être confronté à de terribles conséquences si elle pourchasse mon père... »

Et de conclure : « Combattre les Américains est la base même de la foi. » Bon sang ne saurait mentir.

Le 14 février 2001 s'ouvre, devant la cour du district sud de New York, le procès de vingt-deux accusés dans l'affaire des attentats perpétrés contre les ambassades américaines à Nairobi et Dar es-Salam en août 1998. Parmi les noms des prévenus figure celui d'Oussama Ben Laden. La première partie du procès dure neuf semaines, 92 témoins sont appelés à la barre. Après douze jours de délibération, le jury donne son verdict. Selon la procédure américaine, déroutante pour un Français, il déclare que «pour conspiration afin de tuer des citoyens américains hors des États-Unis, avec Oussama Ben Laden, le chef d'Al-Qaida, une organisation terroriste internationale», quatre accusés sont punissables :

– Wadih el-Hage, le Libanais chrétien converti à l'islam appelé Wadih, au maximum à la prison à vie ;

– Mohammed Sadiq Odeh, l'artificier d'origine palestinienne appelé Odeh, au maximum à la prison à vie ;

– Daoud al-Ouhali, candidat au suicide à Nairobi, appelé Daoud, à la peine de mort ou à la prison à vie ;

– Khalfan Khamis Mohamed, retrouvé en Afrique du Sud, à la peine de mort ou à la prison à vie.

Le lendemain, les audiences reprennent. Elles permettront, dans quelques mois, de fixer les peines définitives, y compris, par contumace, à l'encontre de Ben Laden.

# CHAPITRE 15

# Échec à la technologie

Mohamed Atta est né le 1<sup>er</sup> septembre 1968 dans le delta du Nil. «Il n'aimait pas les jeux de garçons comme les batailles à coups de pistolet, dit son père, il préférait jouer aux échecs avec moi...»

Il ne comprend pas ce qui a pu arriver à son fils. Avocat connu sur la place du Caire, il appartient à la classe moyenne. Cette catégorie de la population qui peut faire avancer le pays. Élève studieux, après le bac Mohammed entre à l'université pour se lancer dans l'architecture. En même temps, il apprend l'anglais, à l'université américaine, et l'allemand à l'institut Goethe du Caire.

En 1992, il part en Allemagne et s'inscrit en troisième année d'urbanisme à Hambourg. Il fait des petits boulots pour améliorer sa condition. Chez Plankontor, un bureau d'études, on prise la propreté et la qualité de ses croquis. À l'heure de la prière, cependant, il s'arrête toujours et se retire à l'écart pour dire ses oraisons. Mais qui en Occident, domaine de liberté religieuse, s'en inquiéterait?

Pour le reste, il ne dit rien, comme s'il ne pensait rien. Derrière ses yeux scrutateurs et ses lèvres fines, il intériorise ses sentiments. Tout juste un jour laisse-t-il percer sa rancœur à l'égard de l'Occident. Devant un collègue allemand de l'université de Hambourg, en voyage d'étude avec lui au Caire, il émet des réserves à l'égard des conquêtes techniques du monde occidental. Il se met aussi en colère à cause des déchets déversés par l'Europe dans des pays comme l'Égypte.

Jusqu'à l'année 1997, rien d'autre à dire. Puis, soudain, pendant un an, il disparaît de la circulation. Ses professeurs n'ont plus aucune nouvelle. En 1998, il refait surface à Hambourg. De réservé, il est devenu distant. La barbe lui mange le visage. Il refuse désormais de sympathiser avec ses camarades allemands, qui le disent tendu.

Mais il a repris ses études et réussit brillamment à son examen. Le jour de la remise des diplômes, une femme, un professeur, lui tend la main pour le féliciter de son travail. Il a un mouvement de recul et refuse son contact.

On a compris. Dans le courant de l'année 1997, Mohammed à rejoint la secte des Assassins de Ben Laden et ses amis. Jouant de sa piété et d'un sentiment de frustration face à la réussite de l'Occident, ses nouveaux maîtres l'ont pris sous leur contrôle. Désormais, dans sa tête, il ne voit chez nous que des «kafirs», des incroyants qui, selon sa lecture du Coran, méritent tous la mort.

Seuls, à partir de maintenant, les musulmans sont dignes de son intérêt. Avec un Marocain et un Yéménite étudiant à Hambourg, ses complices apprendra-t-on, il loue un trois pièces. En 1999, il obtient, pour lui et ses amis, une salle de prière à l'université. On découvrira une prise de téléphone et un ordinateur installés dans la pièce. Le moyen de liaison favori des réseaux de Ben Laden.

Déjà Mohamed complote. Il a des relations suivies avec Marwan al-Shehhi et Ziad Samir Jarrah. Deux garçons qui étudient aussi à Hambourg et mourront dans l'explosion des avions détournés le 11 septembre. À la fin de l'année 1999, ils déclarent, par le plus grand des hasards tous les trois en même temps, avoir perdu leurs passeports. Comme s'ils voulaient se débarrasser des traces de voyages récents dans des pays suspects de relations avec le terrorisme. Nous pensons au Pakistan, à l'Afghanistan, à l'Albanie, voire à l'Irak ou à l'Iran.

En mai 2000, Atta s'envole pour les États-Unis. «Pour suivre des cours de pilotage,» explique-t-il. Al-Shehhi fréquente la même école que lui, à Venice, en Floride. Il suit Mohamed comme son ombre. Au point que d'autres élèves prennent le premier pour le garde du corps du second. Conformément aux pratiques des commandos islamistes en territoire «kafir», ils se sont rasés la barbe pour passer inaperçus.

En décembre 2000, les deux compères s'offrent trois heures sur un simulateur de vol de Boeing 727. Étrangement, ils se contentent d'effectuer des changements de trajectoire et des larges virages. Ni les décollages ni les atterrissages ne semblent les intéresser. L'instructeur s'en étonne, mais sans s'en émouvoir.

Ils voyagent beaucoup. Au mois d'août, ils se rendent en Espagne et visite un détenu arabe condamné pour un assassinat. Le 28, de retour aux États-Unis, Mohamed réserve un aller simple de Boston à Los Angeles. Départ prévu, le 11 septembre, à 7 h 59.

Le 7 septembre, une scène surprenante se déroule. Mohammed est en compagnie d'un autre homme, non identifié, au comptoir du Shuckum's, un bar. Il boit cinq vodkas. Son acolyte avale des cocktails au rhum. La note, 48 dollars, paraît trop élevée à Mohammed. Devant la serveuse, il s'énerve. Le propriétaire des lieux intervient. Avec hauteur, le jeune Égyptien hurle :

« Tu crois que je n'ai pas d'argent pour payer ? Moi, je suis pilote chez American Airlines ! »

★<br>★ ★

Pilote chez American Airlines ! Le 11 septembre, il va justement faire sauter un avion de cette compagnie. Mais il y a plus inattendu. Comment lui, le bon musulman, respectueux jusqu'au scrupule des préceptes du Coran, peut-il s'enivrer comme un vulgaire « kafir » ? Une seule explication : il s'estime affranchi de toutes les contraintes et interdits religieux.

On trouve ce comportement chez certains groupes chiites déviants, comme les ismaéliens. Les héritiers justement de la secte des Assassins du Vieux de la montagne. Sans relier les réseaux de Ben Laden à des gens devenus pacifiques, la question se pose néanmoins. La Qaida cache-t-elle, sous couvert de pratiques sunnites, l'appartenance à une secte ésotérique d'inspiration chiite ? Voilà qui correspondrait avec l'origine chiite supposée de Ben Laden.

★<br>★ ★

Pendant que Mohammed prépare les attentats du 11 septembre en Amérique, un autre élément se met en place. Le 23 juillet 2001, Yasser al-Siri reçoit un appel téléphonique. On lui demande de rédiger immédiatement une lettre pour accréditer un certain Karim Touzani comme journaliste de télévision.

Égyptien surnommé Abou Ammar al-Masri, Yasser al-Siri est un vieux complice de Ben Laden. Après avoir passé plusieurs années avec lui au Soudan, en 1994, il s'est installé à Londres, sans difficulté, en dépit de sa condamnation à mort par contumace, en 1993 en Égypte, pour activités terroristes. Il dirige le Centre d'observation islamique, un bureau se posant en défenseur des droits des musulmans.

Il dit avoir envoyé l'accréditation au Pakistan. Mais il ment, il l'a donné en main propre à l'intéressé. Par ailleurs, l'agence de télévision au nom de laquelle il signe la lettre, Arabic news international, n'a pas effectué le moindre reportage. C'est une structure bidon.

Le 16 juillet, fort de son accréditation, Karim Touzani obtient un visa à l'ambassade du Pakistan en Grande-Bretagne. Un autre homme l'accompagne, Kassem al-Baqqali. Du moins est-ce ce que disent leurs passeports belges, volés deux ans plus tôt, l'un à Strasbourg, l'autre à La Haye.

Le 25 juillet, les deux hommes débarquent au Pakistan. Immédiatement, à l'ambassade des Taliban à Islamabad, ils obtiennent un visa de trois mois pour séjourner en Afghanistan. Puis, ils pénètrent en Afghanistan par la zone aux mains des Taliban. Ils entrent en contact avec les gens de Ben Laden à Kandahar. Là, ils reçoivent une formation spéciale, à l'issue de laquelle on leur donne une caméra piégée.

★

★ ★

À la fin du mois d'août, à Jabal Saraj, ils passent la ligne de front entre les Taliban et l'Alliance du Nord. Le 2 septembre, d'après ce que nous savons, ils arrivent au village de Khwaja Bahauddin, dans la province du Tahar. Ils savent trouver là le commandant Ahmad Chah Massoud, héros de la résistance contre les Soviétiques et principal animateur de l'opposition aux Taliban.

Le temps presse pour eux. Ils doivent accomplir leur mission avant le 11 septembre.

Pendant une semaine, ils attendent. Enfin, ils obtiennent un rendez-vous avec Massoud pour le 9 septembre. Mais, le matin même, s'apprêtant à partir pour le front, celui-ci veut annuler l'interview. Ils insistent et arrachent cinq minutes d'entrevue.

Les deux prétendus Belges, des Algériens en réalité, se sentent fébriles. Ils arrivent à l'aboutissement de leur mission. Ils s'isolent tous les deux dans une pièce réservée aux douches. Là, ils préparent la caméra. Retrouvant l'air libre, ils marchent d'un pas ferme vers la maison où doit se dérouler la rencontre.

★

★ ★

Béret nouristani en équilibre sur le crâne, des rides nouvelles sont apparues sur le visage du Lion du Panchir, comme on l'appelle en Occident. Mais l'œil, toujours aussi perçant, a gardé toute son ironie. Pourtant Massoud n'a pas le temps de rire. Il est pressé. Dans ce pays où le temps ne compte pour personne, lui court toujours après.

La première question tombe : « Lorsque vous aurez reconquis tout l'Afghanistan, que ferez-vous d'Oussama Ben Laden ?» Elle n'aura pas de réponse. Les deux prétendus journalistes n'en attendent pas. Dissimulée dans la batterie de la caméra, une bombe explose. Massoud, grièvement blessé, est évacué mourant. Il ne survivra pas. L'un de ses deux assassins meurt sur le coup. L'autre est tué alors qu'il cherche à s'enfuir.

★

★ ★

Arrivé le 8 septembre au Pakistan, Badih Karhani, journaliste libanais dont nous avons déjà évoqué le témoignage, entre immédiatement en Afghanistan avec les hommes de Ben Laden. Il doit rencontrer ce dernier et son principal bras droit, Ayman al-Zawahiri.

À Kandahar, il passe plusieurs jours dans une maison d'hôtes d'Al-Qaida. Des hommes de l'organisation sont là, en attente d'une mission ou d'un rendez-vous. Tous disent la même chose : «En tuant Massoud, nous avons réussi à éliminer un dangereux ennemi des Taliban, c'est un bon coup d'Oussama... Les Taliban ne le laisseront jamais tomber après ça...»

Badih ne le sait pas, mais, pendant qu'il attend son entrevue avec Ben Laden, ce dernier a battu le rappel de ses

197

troupes. Il veut que tous ses hommes en mission à l'étranger le rejoignent en Afghanistan avant le 11 septembre.

★

★ ★

Le 11, entre 20 heures et 21 heures, un homme arrive dans la pièce où Badih bavarde en buvant du thé avec quelques membres d'Al-Qaida. Immédiatement, les conversations cessent. Quelque chose dans le comportement de l'arrivant dit l'importance du moment.

« Les Américains viennent de subir deux attaques commises par des avions suicides contre les tours du World Trade Center, annonce-t-il, on parle de plusieurs milliers de morts… »

« J'ai vu, dit Badih, des sourires de satisfaction sur les visages. J'ai aussi entendu des formules de remerciement à Dieu. Mais je n'ai remarqué personne attribuant à Al-Qaida ou au Front dont elle fait partie, la paternité de l'attaque. »

Et pour cause. Badih ne le sait pas, mais il est piégé dans cette affaire. À peine la nouvelle de l'attaque est-elle arrivée, que Ben Laden et Al-Zawahiri annulent les rendez-vous pris pour lui. Il pourra témoigner de l'ignorance des deux compères à propos de la préparation des attentats puisqu'ils sont obligés, prétendent-ils, de changer leur programme. Un nouvel exemple de la manière dont Ben Laden utilise les journalistes pour désinformer l'opinion.

★

★ ★

Il pourrait avoir monté une autre opération pour tromper l'Occident. Le 11 septembre, Mohammed Atta conduit son commando à l'aéroport de Boston. On le reconnaît, semble-t-il, sur les caméras de contrôle de l'aéroport. Ses bagages sont restés dans une voiture louée, à l'aéroport de Boston. Dedans, la police trouve une lettre dans laquelle il proclame son intention de mourir en martyr de l'islam. Par un étrange hasard, on aurait aussi trouvé son passeport parmi les débris de l'explosion. Comme si quelqu'un l'avait déposé là volontairement.

Plus étrange encore : le père de Mohammed, lors d'une conférence de presse donnée au Caire, a affirmé avoir reçu un appel de son fils deux jours après les attentats du 11 septembre. Le jeune Égyptien aurait-il laissé «la place du mort» à quelqu'un d'autre ? Va-t-il resurgir ailleurs ?

★
★ ★

On s'interroge cependant. Les Américains pouvaient-ils éviter la tragédie ? Deux hommes, Khalid al-Midhar et Nawaq al-Hamzi, avaient été repérés par la CIA en Malaisie. Ils avaient donné de l'argent aux organisateurs de l'attentat contre le *USS Cole*, pour réaliser leur mission. Cela ne les avait pas empêchés d'obtenir un visa et d'entrer aux États-Unis le 29 juin. La CIA ne les avait pas interceptés. Elle les a retrouvés sur la liste des pirates morts le 11 septembre.

La police américaine avait dans ses geôles un dénommé Zacarias Moussaoui. Elle l'avait arrêté le

17 août pour utilisation de faux papiers. Franco-Algérien, il était passé par les camps d'entraînement d'Afghanistan et avait, lui aussi, suivi des cours de pilotage sans apprendre à décoller ou à atterrir. Ce comportement étrange aurait dû provoquer un interrogatoire poussé.

Pour être franc, dans toute cette affaire, les autorités et les services américains apparaissent dépassés.

Première puissance technologique mondiale, l'Amérique fait trop confiance à l'électronique pour assurer sa protection. Les Américains en oublient l'importance des contacts humains. La place de la psychologie dans l'aventure humaine.

Nous nous rappelons une histoire. Pendant la guerre du Vietnam, l'armée américaine avait installé un dispositif de haute technologie pour remplacer les patrouilles militaires au sol. Elle disposait de «capteurs» spécialisés, chargés d'envoyer des signaux aux avions espions survolant le pays. Certains capteurs, par exemple, détectaient les émanations d'ammoniac, caractéristiques de l'odeur humaine, mais aussi de tous les mammifères.

Une forte concentration de ce gaz supposait, en l'absence de soldats américains dans la zone, la présence d'un groupe ennemi. Les ordinateurs des avions espions donnaient alors l'ordre de bombarder.

Informés du système, le Viêt-cong a stocké de l'urine de porc contenant, elle aussi, une forte proportion d'ammoniac. Avant d'opérer dans un secteur, il répandait cette urine dans la forêt. Les ordinateurs américains signalaient une forte présence ennemie et ordonnaient un tapis de bombes. Quand l'affaire s'était répétée à plusieurs reprises dans la même zone, les techniciens américains croyaient leurs équipements endommagés et les débranchaient. Le Viêt-cong pouvait alors pénétrer la zone sans danger. Ceci pour dire que l'homme surpasse toujours la machine. Le renseignement électronique ne peut être qu'un complément, jamais le seul, ni même le principal élément d'un système de surveillance.

Nous voyons bien, dans l'affaire des terribles attaques du 11 septembre, la supériorité de l'homme, même dépassé technologiquement parlant, face à des ingénieurs. Les terroristes ont trompé les systèmes de surveillance électronique. Puis ils ont transformé des avions en armes de guerre. L'intelligence humaine, comme au Vietnam, l'a emporté sur la machine.

En faisant corps avec ces engins volants transformés en bombes, les terroristes ont encore prouvé l'importance de la psychologie. Nous ne pourrons jamais bâtir des forteresses où nous serions totalement invincibles. Il faut pour se protéger de l'ennemi bien le connaître, pour deviner ses intentions. Mais, pour cela, il faut le fréquenter et, le voyant homme, trouver le moyen de le contrôler.

En attendant, croyant les dissuader, les Américains menacent de la peine de mort des gens prêts au suicide. On pourrait en rire si nous ne jouions l'avenir de l'humanité.

# Postface

J'ai rencontré Hussein Amin, ancien ambassadeur d'Égypte, au Caire en 1992. Il avait déjà atteint l'âge de la retraite et s'interrogeait sur l'avenir du monde musulman. J'avais en face de moi un homme profondément croyant, aimant son pays et la civilisation musulmane dans laquelle il vit. Il se demandait pourtant comment cet univers, son univers, parviendrait à survivre sans évoluer.

Pour ne pas trahir sa pensée, je me contenterai de citer son *Livre du musulman désemparé*, publié à La Découverte.

«L'imprégnation de l'esprit de l'islam, et non le respect de quelques lois éparses, devrait être la boussole qui nous guide dans le droit chemin, partout et de tout temps», dit-il.

Et il donne un exemple:

«Dans la péninsule arabe des VI^e et VII^e siècles, la forme dominante de la propriété était la propriété mobilière. Le bédouin se déplaçait d'un point d'eau à l'autre en portant avec lui tout ce qu'il possédait. Lui voler son chameau et son chargement, c'était le

condamner à une mort certaine. Il fallait donc que la charia [la loi islamique] punisse le vol dans une telle société de manière aussi dissuasive que possible...»
D'où, comprenons-nous, l'amputation du voleur de sa main.

«Mais, continue-t-il, l'islam a pénétré des sociétés connaissant des formes de propriété différentes. Ces sociétés peuvent se défendre contre le vol en le sanctionnant autrement que ne l'a fait la société bédouine, sans transgresser en quoi que ce soit l'esprit de l'islam...»
Et d'insister, nous donnant de la religion de Mahomet une autre interprétation que celle des islamistes :
«Au contraire, c'est l'islam qui exige que nous options pour une autre peine... On ne peut appliquer le même traitement aux deux sociétés sans que cela induise des effets pervers...»
Les islamistes, les puristes et autres conservateurs hurleront au crime de lèse-religion. Ils diront, comme nous les avons déjà entendus, que «les lois du Coran sont valables en tous temps et en tous lieux». Vrai et faux, selon le texte coranique justement. Car il existe un principe, «l'ijtihad» ou effort d'interprétation. Celui-ci permet d'adapter le texte à la situation. Il existe, dans l'histoire de l'islam, un bon exemple de cela.

Omar, successeur de Mahomet et deuxième calife, avait suspendu l'amputation de la main des voleurs dans le jeune empire musulman. Une sorte de pharisien de son temps, un islamiste du nôtre, lui reprocha de ne pas respecter à la lettre une obligation, selon lui, du Coran. Il lui répondit : «Veux-tu donc que je coupe les mains de la moitié de mes sujets ?»

La famine s'étant abattue sur les terres islamisées, le vol était devenu si commun que la peine brandie ne faisait plus peur à personne.

C'est à ce travail «d'ijtihad» qu'à notre avis les musulmans doivent se livrer. Pour museler les extrémistes en les marginalisant. Enfin, pour leur bien et pour le nôtre, en faisant entrer leur religion dans notre siècle, le XXI$^e$.

# Vade-mecum du musulman
# La réalisation de l'union *
(Écrit par le Jihad islamique égyptien, ce document
s'adresse principalement aux Égyptiens)

« ... Le principe "Il n'y a de dieu que Dieu",
implique quatre obligations :
1/ Se désolidariser de tous les *taghout* [1]
2/ Déclarer la guerre à toutes les sortes de *kafir* [2]
3/ Combattre avec clarté et fermeté.
4/ Marcher sur le chemin de Dieu en accomplissant
le devoir du jihad... »

---

* Reprenant des extraits, les deux documents qui suivent ont
été produits au sein du «Front international de lutte contre les
juifs et les croisés», créé par Ben Laden et les mouvements
islamistes auxquels il est associé. Le premier document a été
rédigé par le Jihad islamique égyptien, ce qui explique son cen-
trage sur l'Égypte.
1. Le *taghout* est le dictateur régnant sur un pays musulman
sans appliquer la loi islamique.
2. *Kafir* se traduit textuellement par incroyant. En fonction de
la situation, il s'applique aux populations non monothéistes ou
à tous ceux qui ne pratiquent pas l'islam, y compris les chrétiens. Compte tenu de l'état d'esprit qui l'engendre, le mot
*kafir* est une insulte dans la bouche d'un musulman.

## À propos de la démocratie

Quand nous parlons d'un gouvernement «kafir», les critiques à lui adresser sont innombrables et nous nous contenterons d'en montrer les pires travers...

1/ Le gouvernement kafir n'applique pas la charia[1] et la remplace par des lois vicieuses mêlées de préceptes divins.

2/ Il se moque de la charia allant jusqu'à lui préférer d'autres lois et à repousser son application... Le système parlementaire, c'est de la foutaise. Aujourd'hui, il est pourtant présenté comme le meilleur moyen de gouverner. Anouar el-Sadate disait : «Ils veulent habiller la femme avec une tente» [en parlant des islamistes]. En dépit de cela, il y a des membres des organisations islamiques manquant de convictions qui se pressent pour siéger au Parlement. Ils considèrent cela comme le plus haut degré du jihad et un moyen légal d'appliquer l'islam.

3/ La démocratie, telle qu'elle a été décrite par Aboul al-Maoudoudi[2], est le gouvernement des peuples par eux-mêmes et la déification de l'homme. La démocratie apparaît en contradiction avec l'islam pour plusieurs raisons :

– ce qui est interdit et ce qui est permis le sont par décision du peuple. Tandis qu'en islam, le gouvernement et les lois émanent de Dieu. La démocratie est

---

1. Loi islamique.
2. Islamiste pakistanais fondateur du Jamaat islamiyya, né en 1903 et mort en 1980.

donc une «association»[1] car elle retire à Dieu son rôle de législateur pour le transférer au peuple ;

– la démocratie repose sur le principe de la primauté de la loi décrétée par les représentants du peuple. Même si elle est en opposition avec celle de Dieu, on ne peut enfreindre la loi des hommes sans s'exposer à une punition ;

– dans le système démocratique, on érige en règle la liberté du culte et la liberté d'expression sans se préoccuper de savoir si les croyances présentées sont bonnes ou mauvaises. Cela conduit à l'apostasie de la religion du Dieu Tout-Puissant et à l'abandon de la charia ;

– Les choses interdites [par Dieu] deviennent permises, celles qui sont permises [par Dieu] se retrouvent interdites. Le principe étant «tout ce qui n'est pas interdit est permis», les interdits du Coran ne sont pas des interdits pour l'État.

Nous donnons quelques exemples.

* Imaginons un homme achetant une bouteille d'alcool dans un magasin autorisé. Il croise dans la rue un jeune musulman enthousiaste qui accomplit son devoir en demandant à cet homme de jeter sa bouteille. Ce dernier ne s'exécutant pas, le jeune musulman casse la bouteille. Qui est l'innocent au regard de la loi : l'acheteur de la bouteille. Pourtant, le jeune musulman, nous le qualifierons de moudjahid, est l'innocent au regard de la charia. C'est l'homme qui a acheté l'alcool qui, se cachant derrière les lois et la constitution, est un criminel.

---

1. Associateur, par extension association, désigne normalement les polythéistes et leurs actes. Ces termes peuvent aussi désigner les chrétiens.

\* Imaginons encore un homme entretenant une relation sexuelle hors mariage avec une majeure célibataire consentante et ne pratiquant pas la prostitution. C'est une pécheresse et elle mérite une punition. Pourtant, pour la loi, elle est innocente puisque celle-ci n'interdit pas la fornication. Si elle est mariée, on la considère comme adultère, mais elle ne peut être poursuivie que si son mari porte plainte auprès des instances judiciaires.

\* Voyons ce qui se passe si un citoyen musulman adopte l'idéologie communiste, suit les principes de la laïcité ou de tout autre dogme contraire à l'islam, s'il critique la charia ou s'il insulte ou dénigre le Prophète. C'est un apostat et il mérite la mort. Pourtant la loi de l'État le laisse libre de ses croyances.

## À propos d'Israël

Que pensez-vous de la reconnaissance d'Israël?
... Pour le droit égyptien, il y a eu un référendum et une approbation du Parlement. Au regard de la charia, cela n'a aucune valeur, même s'il y avait eu mille référendums et mille reconnaissances du Parlement. Car la Palestine est une terre musulmane arrachée de force par l'État juif «kafir». Ainsi le parlement égyptien permet-il l'interdit...
Selon la charia de Dieu et de son Prophète, prière et salut sur lui, cet arrêté du Parlement est nul car:

– il supprime le devoir du jihad dans la voie de Dieu alors qu'il est dit par tous les ouléma [1] que le jihad contre les juifs de Palestine est un devoir pour tous les musulmans. Dieu a dit : « Combattez ceux qui ne croient pas en Dieu, ni au jour dernier et ne s'interdisent pas ce que Dieu et son envoyé [Mahomet] ont prohibé. Combattez également ceux parmi les gens du Livre [chrétiens et juifs], qui ne professent pas la religion de la vérité, à moins qu'ils ne versent la capitation [2] en toute humilité. » Ne pas appliquer ce devoir c'est devenir un « kafir » ;

– l'accord passé entre l'État égyptien et Israël a légitimé l'État d'Israël en dépit du viol des terres musulmanes par ce pays. On ne peut soutenir cette atteinte à l'intégrité de la patrie musulmane ;

– d'autre part, cet accord est définitif alors que, selon la charia, les traités entre États doivent être temporaires, pour des périodes n'excédant pas dix ans. Étant définitif, il est donc nul.

Si un jeune musulman obtient du cheikh de Al-Azhar [3] l'autorisation de partir en jihad contre Israël, le cheikh est condamnable au regard de la loi égyptienne. Celle-ci, en effet, interdit toutes actions agressives contre Israël, y compris par écrit dans la presse.

---

1. Théologiens de l'islam.
2. Impôt particulier payé par les chrétiens et les juifs, par individu, enfants compris, en échange du droit de pratiquer leur religion en terre d'islam.
3. Il s'agit de l'université islamique d'Al-Azhar, la plus réputée du monde musulman et l'une des plus anciennes. Sa hiérarchie exerce un véritable magistère en Égypte et influence l'ensemble du monde musulman.

## À propos de l'apostasie[1]
## commise par un musulman

Al-Maoudoudi, Dieu reçoive son âme, a fait la différence entre «l'apostat accessible» et «l'apostat inaccessible» dans ses réflexions sur la guerre contre eux. Il faut, quand l'on doit tuer des apostats, dit-il, savoir dans laquelle des deux situations suivantes ils se trouvent.

Ou bien ils sont rebelles vivant dans le Dar-el-Islam[2] et nous n'avons pas besoin de combattre pour les soumettre à notre autorité. On déclare alors la raison de leur apostasie et s'ils ne se repentent pas, on les tue, qu'il s'agisse d'hommes ou de femmes.

Ou bien ils se sont réfugiés à l'étranger et devenant inaccessibles, pour les atteindre, il faut d'abord combattre les gens du Dar-el-Harb en les attaquant par surprise.

Ben Taymiyyah[3] a dit : «Si les apostats ne rejoignent pas le "Dar-el-Harb" mais opposent une résistance à la soumission à l'islam, alors on peut les tuer sans hésiter et sans leur offrir de se repentir.»

---

1. Quand on parle en islam d'apostasie, il s'agit uniquement des musulmans renonçant à leur religion.
2. Les exégètes anciens de l'islam partagent le monde en deux. D'un côté de Dar-el-islam (la maison de l'islam) gouverné par les préceptes du Coran. De l'autre le Dar-el-harb (la maison de la guerre) où un bon musulman peut tuer et piller comme il lui convient sauf accords de paix particuliers et toujours temporaires.
3. Juriste né en 1263 à Harran en Syrie et mort en 1328. Extrémistes, ses écrits servent de références à tous les mouvements islamistes modernes. Il a justifié le principe de l'assassinat politique.

Ce cheikh de l'islam a aussi déclaré que la même loi s'applique aux musulmans quand ils rejoignent nos adversaires. Ceci qu'il s'agisse des chefs ou de leurs hommes. L'apostasie, en ce cas, est proportionnelle à l'éloignement de l'islam.

Nos anciens avaient déclaré apostats les gouvernants qui interdisaient la «zakat» [l'aumône obligatoire versée à la mosquée], même s'ils priaient, jeûnaient [pendant le mois de ramadan], et ne faisaient pas la guerre aux autres musulmans. Qu'en est-il donc pour ceux qui ont rejoint les ennemis de Dieu et son prophète et qui tuent des musulmans!...

... Se basant sur cela, il n'est pas permis à un musulman de s'enrôler volontairement dans l'armée ou la police [en Égypte] car ces deux corps protègent le pouvoir «kafir»...

## À propos du jihad

Ben Taymiyyah a dit « qu'il faut préparer le jihad en stockant des armes et en élevant des chevaux quand on ne peut attaquer. Par contre, quand le moment est propice, il faut ouvrir les hostilités...

... Ou bien le musulman doit faire le jihad dans son pays de résidence, ou bien il doit le faire dans un autre pays où l'étendard du jihad est brandi, ou bien il doit se préparer, guettant l'occasion propice du jihad dans la voie de Dieu. Mais il ne peut s'asseoir, se reposer, négocier ou faire la trêve en vendant sa religion...»

# Vade-mecum du musulman
# Le secret dans l'islam *
(De Mahmoud Abdel Majid, alias Abou Hatem)

«... Il est permis de mentir pour repousser un mal plus grand. Il est vrai que le mensonge est laid mais il peut s'utiliser pour le bien...

... On peut mentir à un "kafir" même en dehors de la guerre. Il est même permis de mentir à un "kafir" pour s'assurer un intérêt matériel...

... Le "kafir" combattant est celui qui ne tient pas sa parole et s'oppose à la religion de Dieu Tout-Puissant, par la parole ou par l'action. La "sounnah"[1] démontre qu'il est permis de le tuer... Cela vient des propos de Dieu qui dit "Tuez les associateurs là où vous les trouvez, prenez-les, et encerclez-les et tendez-leur des embuscades" (Coran, sourate IX, verset 5)...

... Le prophète a ordonné de tuer Kaab Ibn Achraf et Abi Rafeh, deux juifs, parce que Kaab excitait les

---

* Extraits.
1. La sounnah désigne les propos et comportements du prophète dans sa vie.

"associateurs" contre les musulmans par ses poèmes...

... Le jihad doit être mené en utilisant la ruse et la tromperie contre les chefs "kafir" qui appellent à l'athéisme et permettent ce qui est prohibé par Dieu. Contre ceux aussi qui attaquent ce que Dieu a révélé ou contre ceux qui se servent de la plume et de la propagande pour attaquer la noble religion, car cela blesse Dieu et son prophète. Où qu'ils se trouvent, il n'est pas permis aux musulmans de les laisser en vie. Celui qui n'agit pas contre eux révèle son manque d'amour pour Dieu, sa religion et le prophète. Il manque à son devoir de défense de l'islam. Il n'est donc pas un vrai croyant...

... Se pose une question : si pour tuer un "kafir" il faut tuer en même temps des femmes, des enfants et d'autres personnes, que doit faire le musulman? On peut les tuer, répondons-nous, même s'ils ne combattent pas et n'incitent pas les leurs à faire la guerre contre les musulmans... l'essentiel étant que les enfants et les femmes ne soient pas visés sans qu'il soit nécessaire...

... Ben Taymiyyah a dit qu'il est permis, que c'est même un devoir, pour un musulman dans certains cas de ressembler aux "associateurs" dans les choses extérieures telles que la tenue vestimentaire et autres apparences...»

*Cet ouvrage a été imprimé par la*
SOCIÉTÉ NOUVELLE FIRMIN-DIDOT
*Mesnil-sur-l'Estrée*
*pour le compte des Éditions du Rocher*
*en novembre 2001*

Éditions du Rocher
28, rue Comte-Félix-Gastaldi
Monaco


*Imprimé en France*
Dépôt légal : novembre 2001
CNE section commerce et industrie Monaco : 19023
N° d'impression : 57674